JOE HISAISHI
FREEDOM
PIANO STORIES 4

PIANO WORKS

ORIGINAL EDITION

全音楽譜出版社

ソロアルバム『Freedom』を発表してからすでに二年以上が経過した。
この『Freedom』に収められている曲は強いメッセージ性を主張するというよりも、
シンプルなメロディで分かりやすく親しみやすい曲が多い。
このアルバムを発表した頃の僕は音楽で刺激的なメッセージを伝えるよりも、
ある種の軽さを伴った安堵感や満足感のようなものを与えられるような楽曲を作りたかった。
大げさにいえば、時代がそれを求めていたのかもしれない。

『Freedom』をより多くの方に楽しんでいただけたら幸いだ。

久石 譲

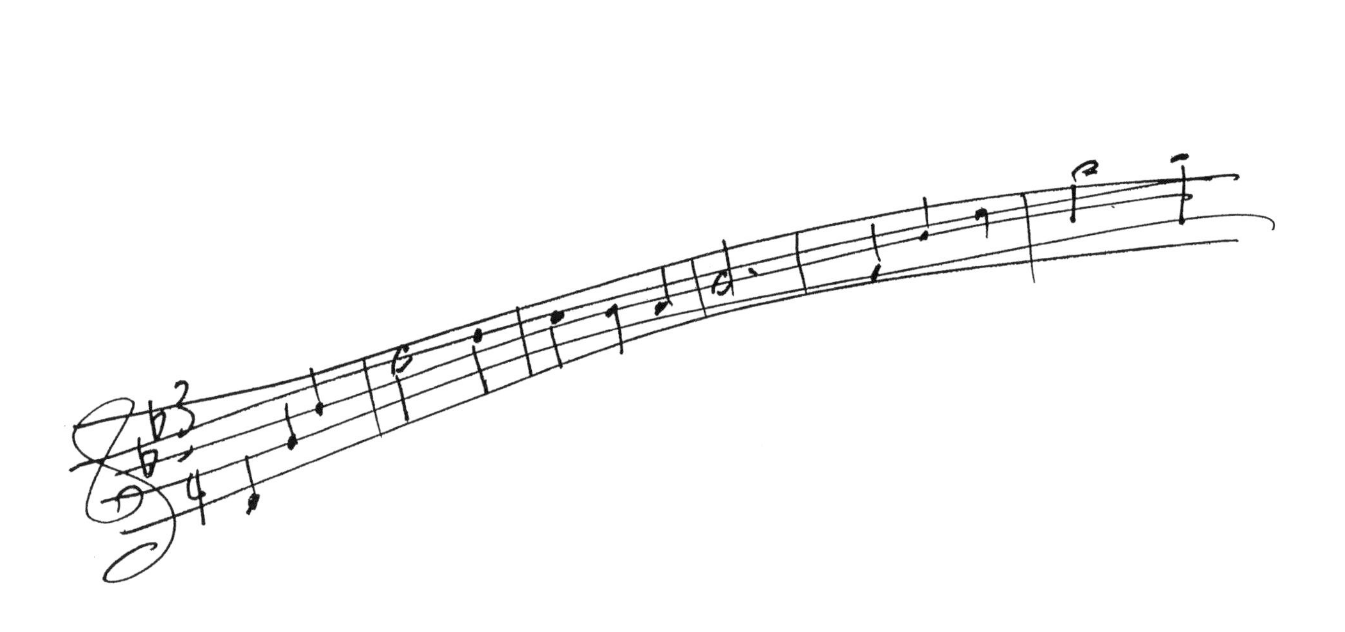

C O N T E N T S

人生のメリーゴーランド 06

Ikaros 16

Spring 24

Fragile Dream 28

Oriental Wind 34

Legend 43

Lost Sheep on the bed 48

Constriction 53

Birthday 62

Oriental Wind (サントリー緑茶 "伊右衛門" CMヴァージョン) 68

人生のメリーゴーランド

JOE HISAISHI

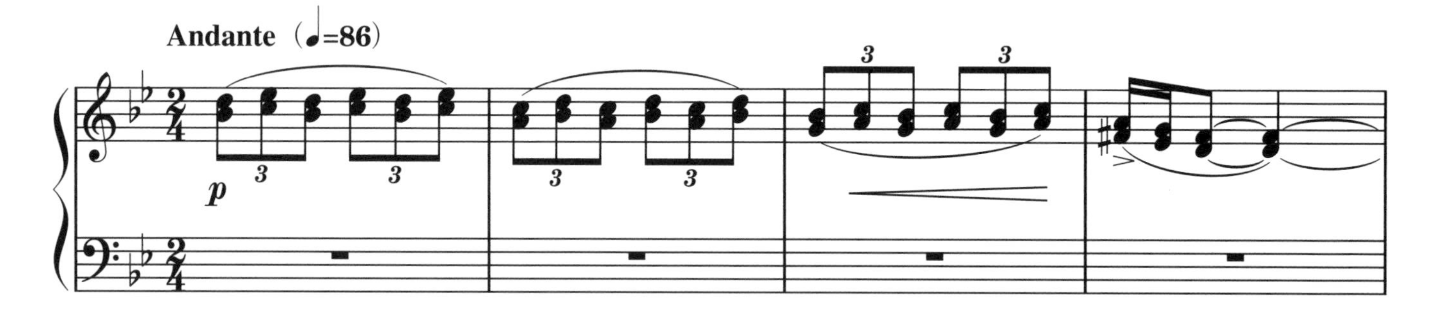

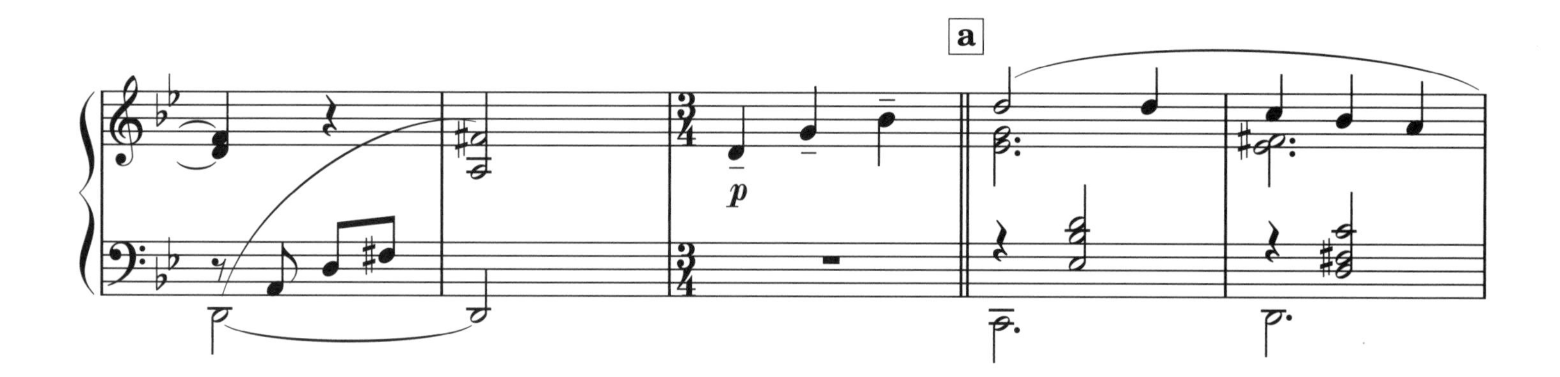

3

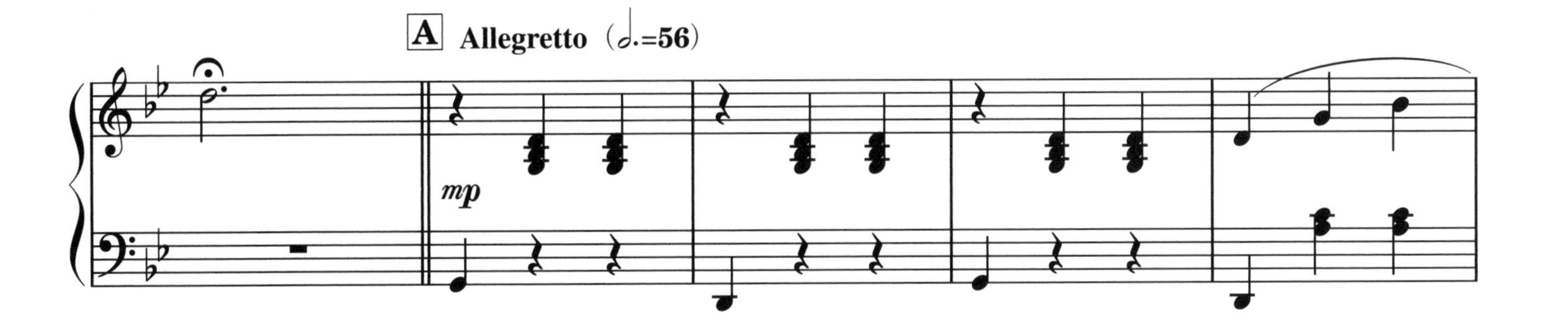
A
Allegretto (𝅗𝅥.=56)
mp

B
f

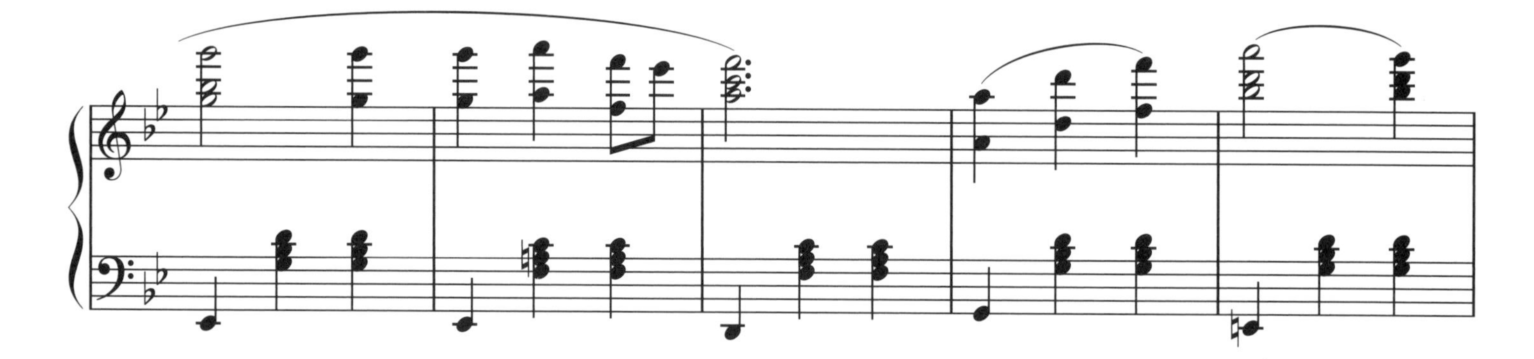

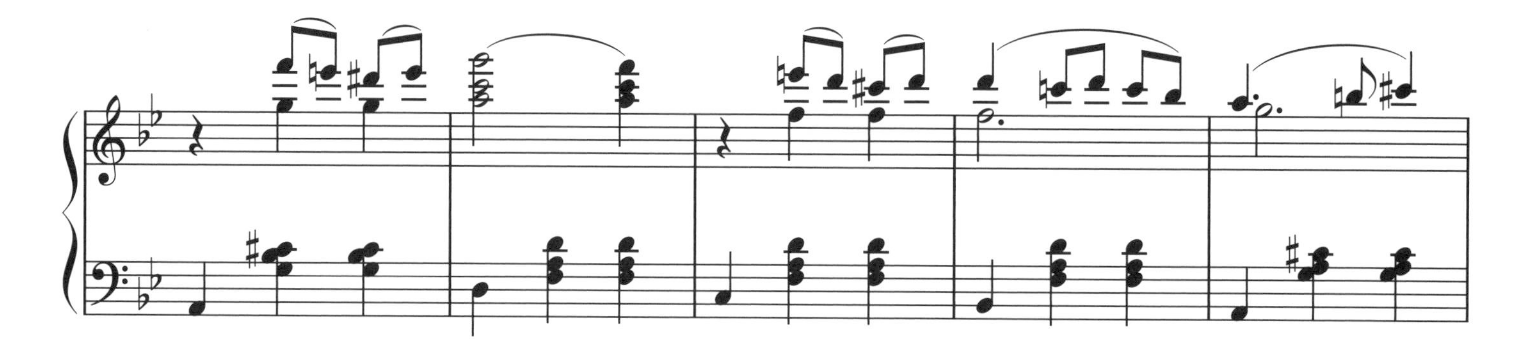

C
mf

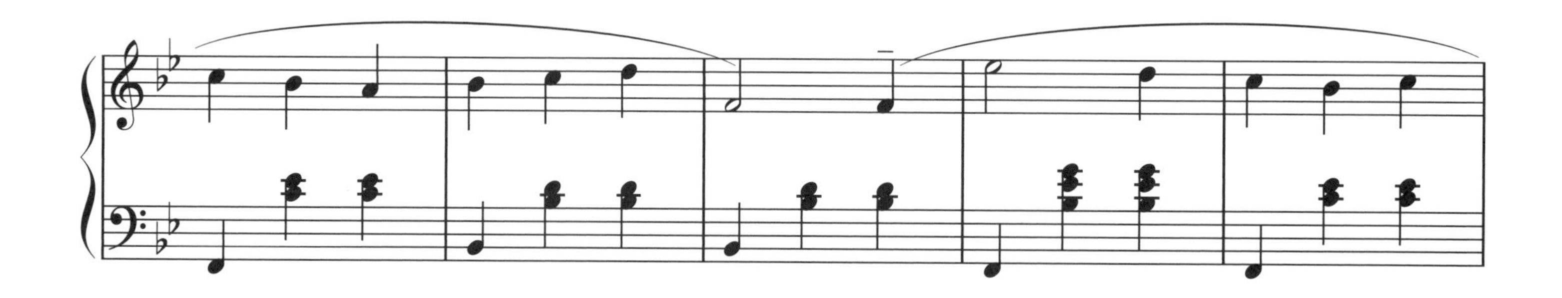

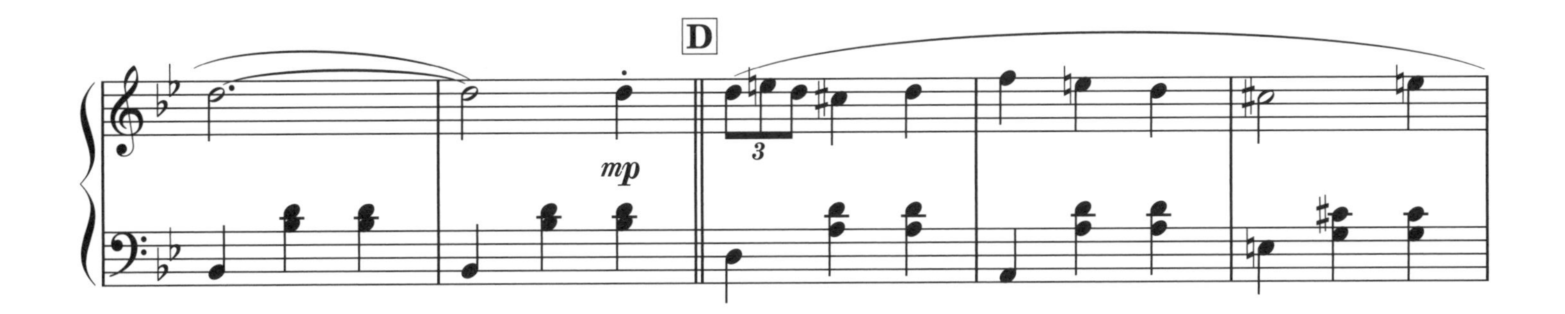
D
mp
3

cresc.

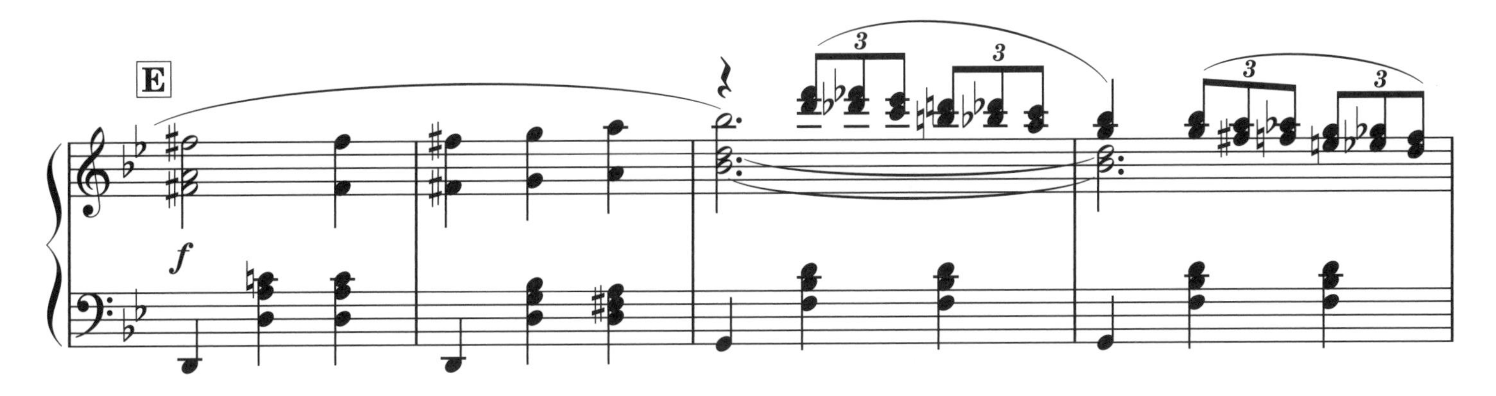
E
f
3

3

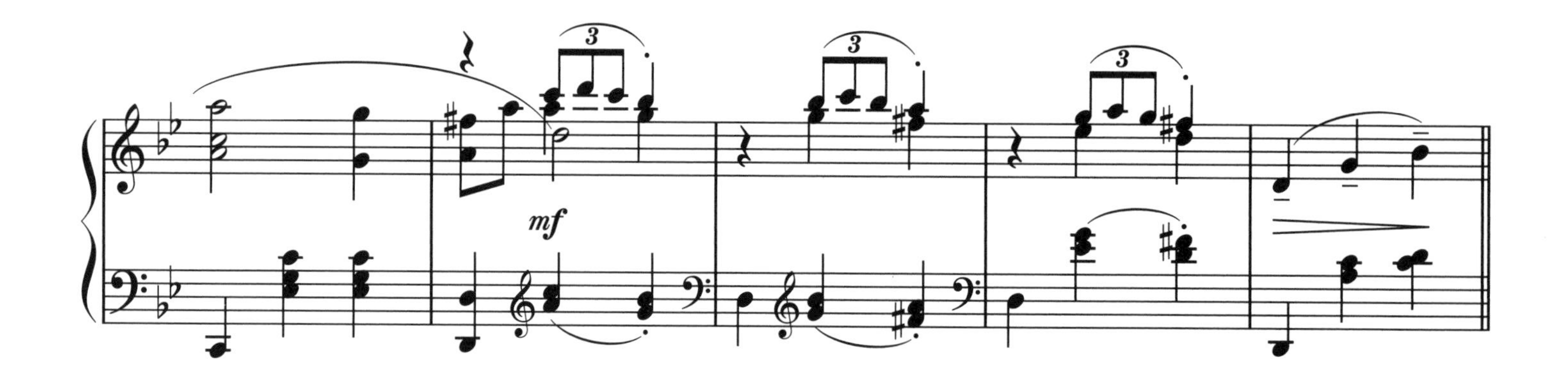
mf

F
mp

f

dim. e rit.
G Andante (♩=86)
p

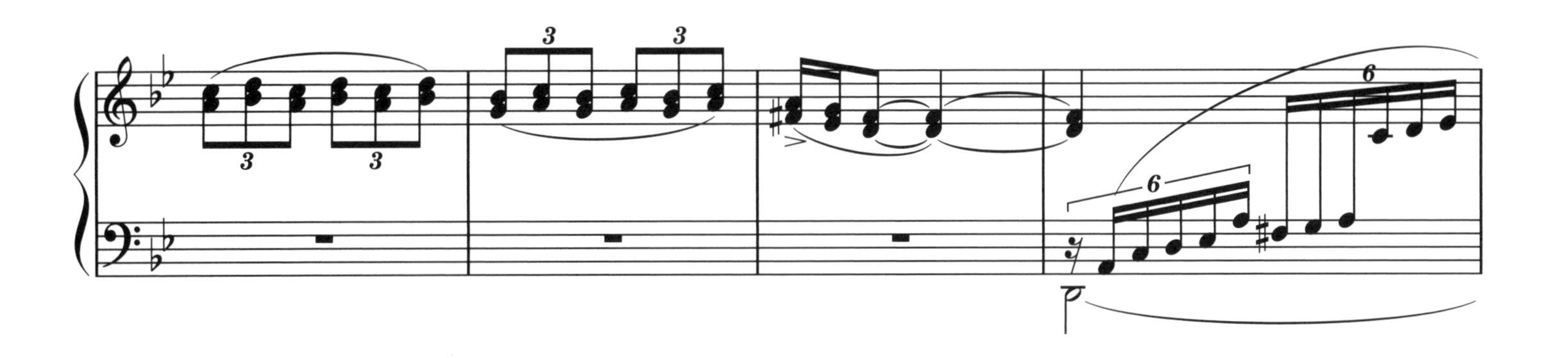

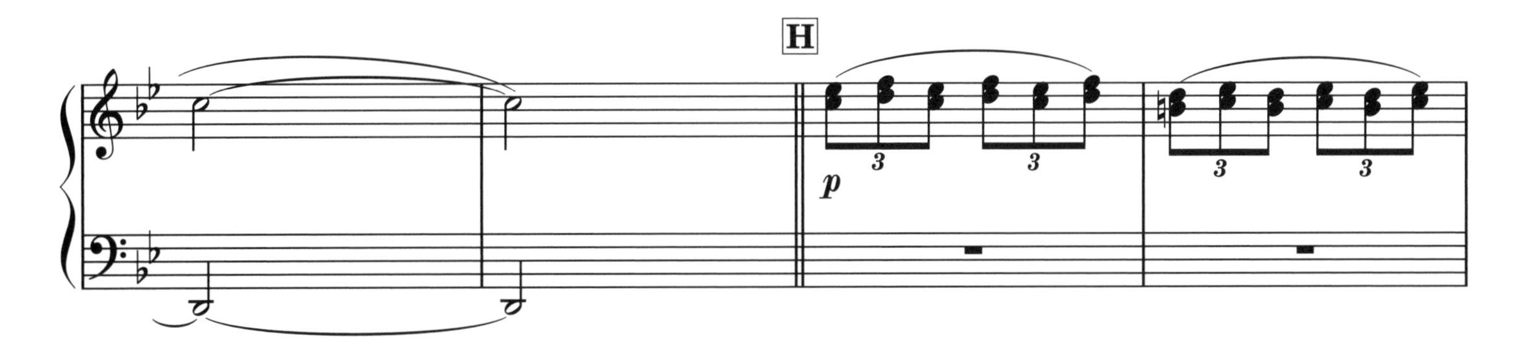
H
p

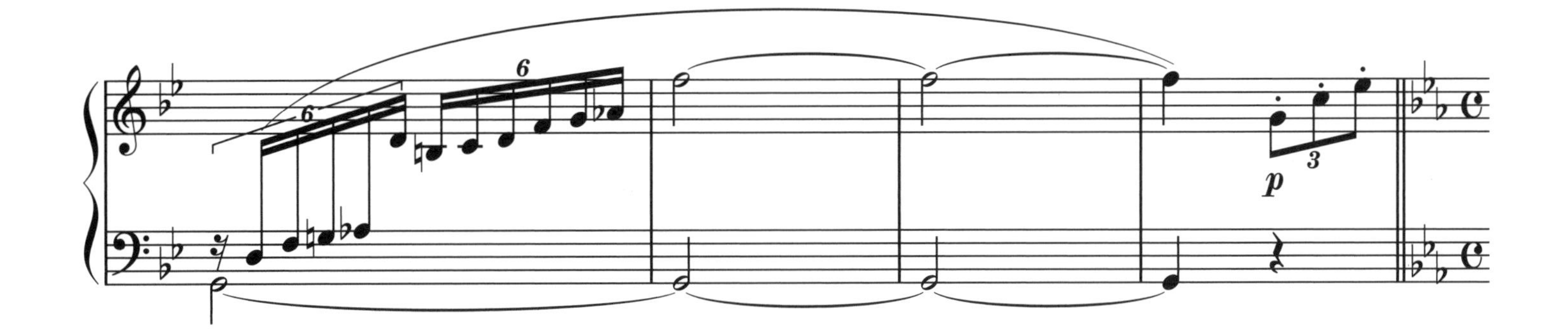
p

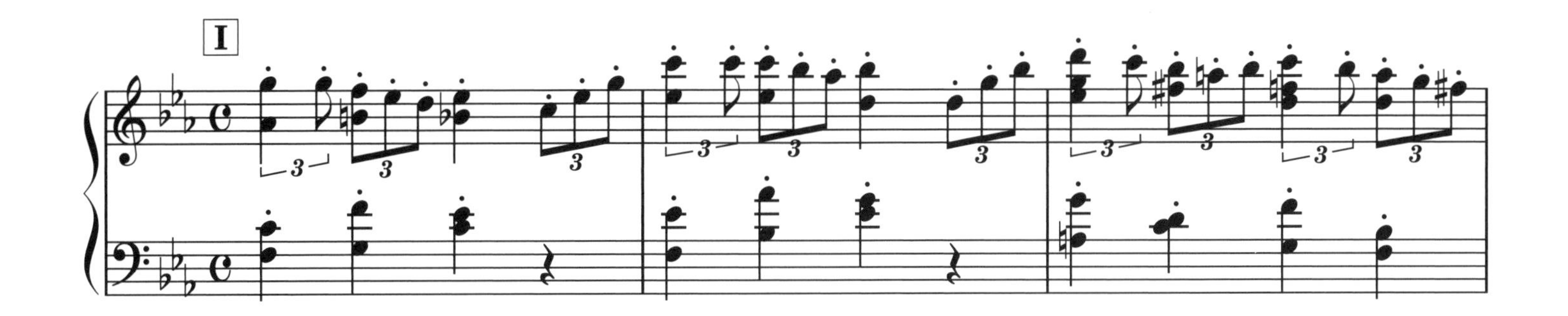
I

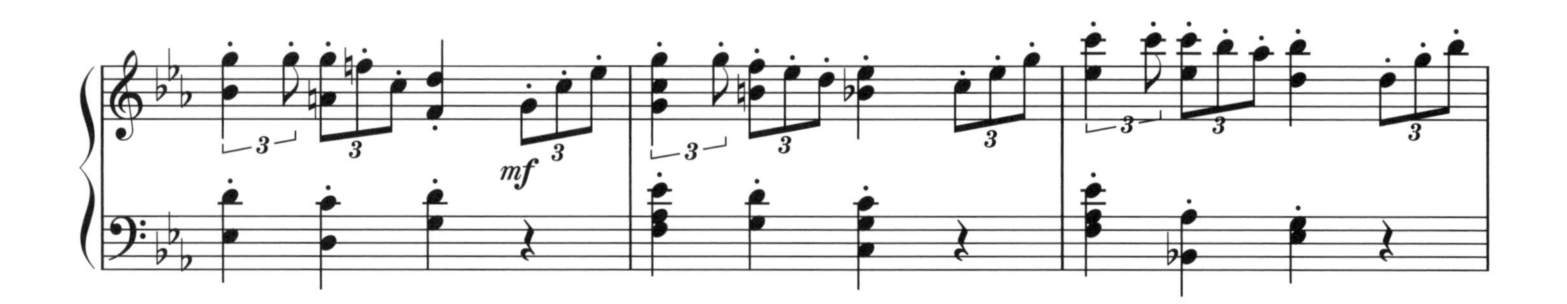

mf

♩=130
mf

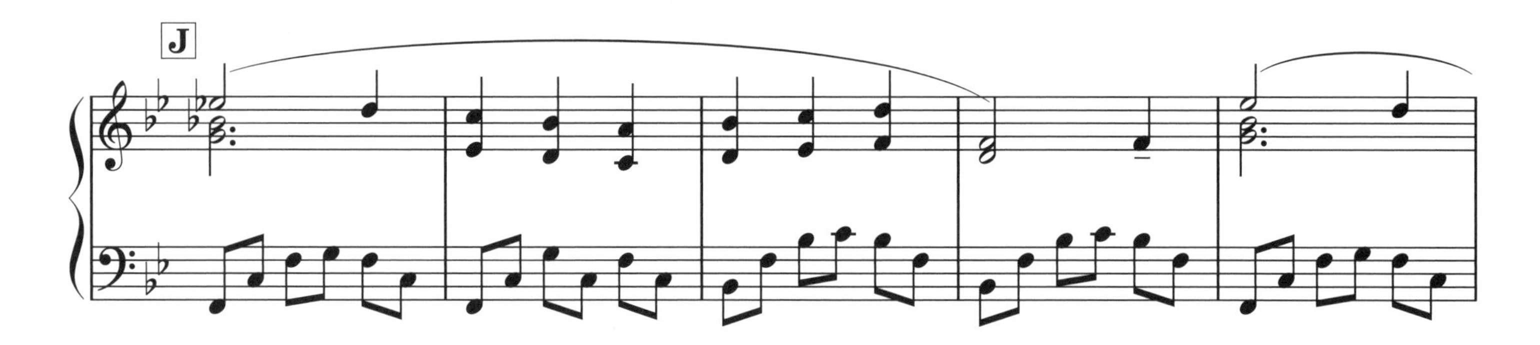

J

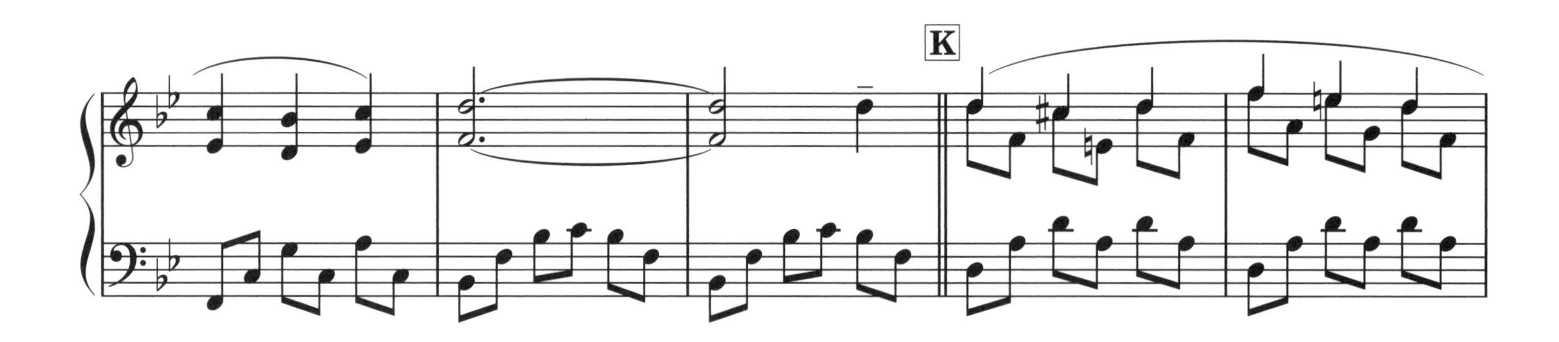

K

L
3
3
f

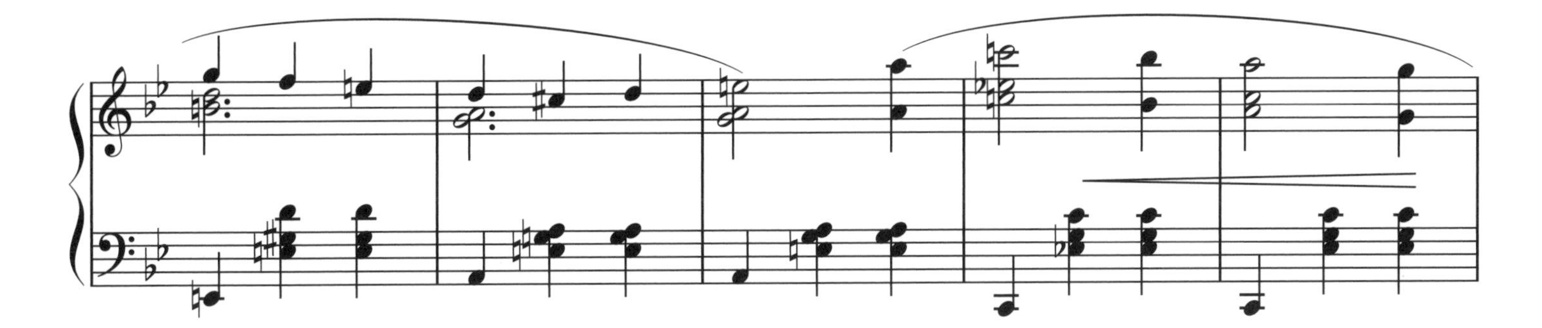

rit.
M
Meno mosso
3
3
3
3
ff

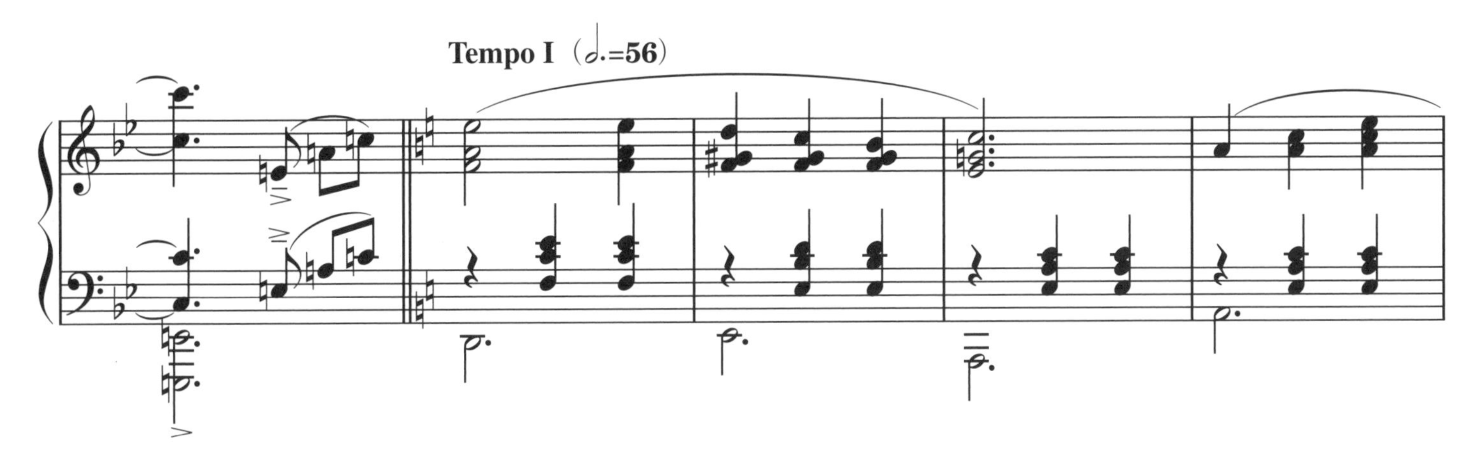
Tempo I（♩.=56）

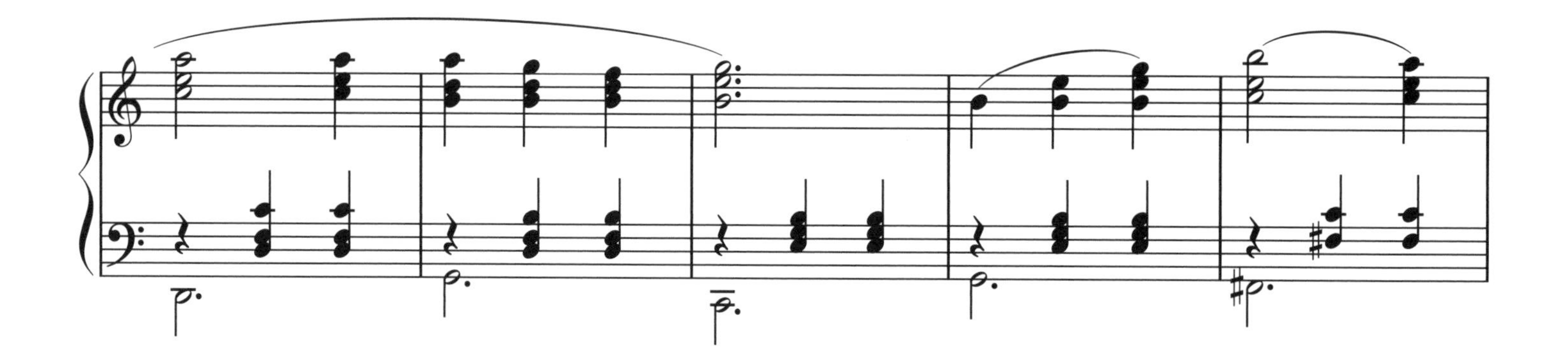

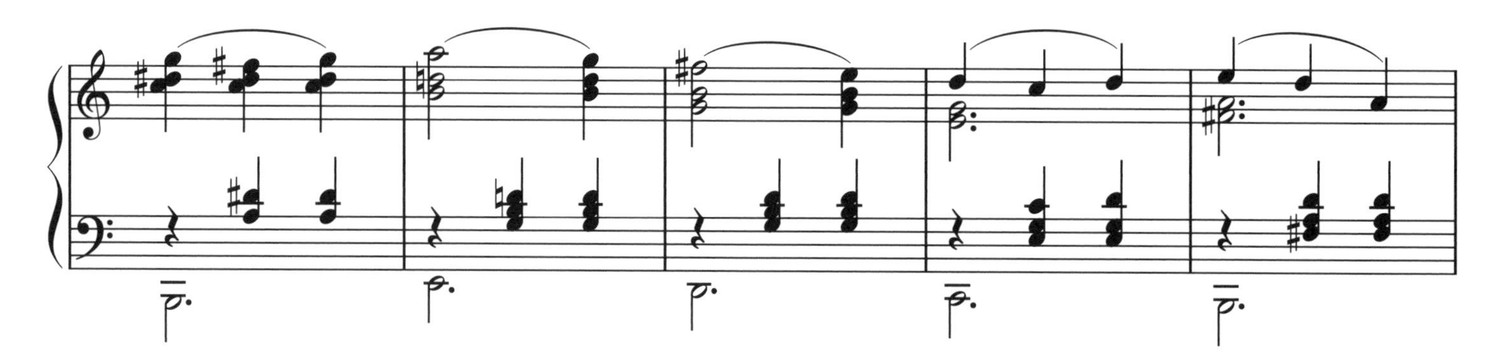

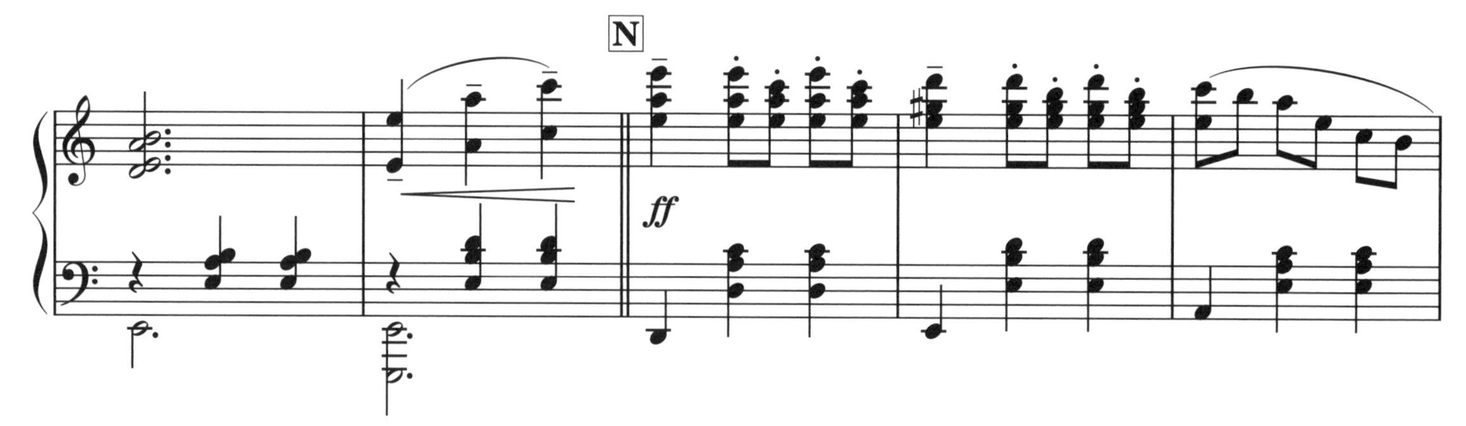
N
ff

f

8va
3
3
3
3
3
3
3
3

rit.
O Meno mosso
mp
sfz

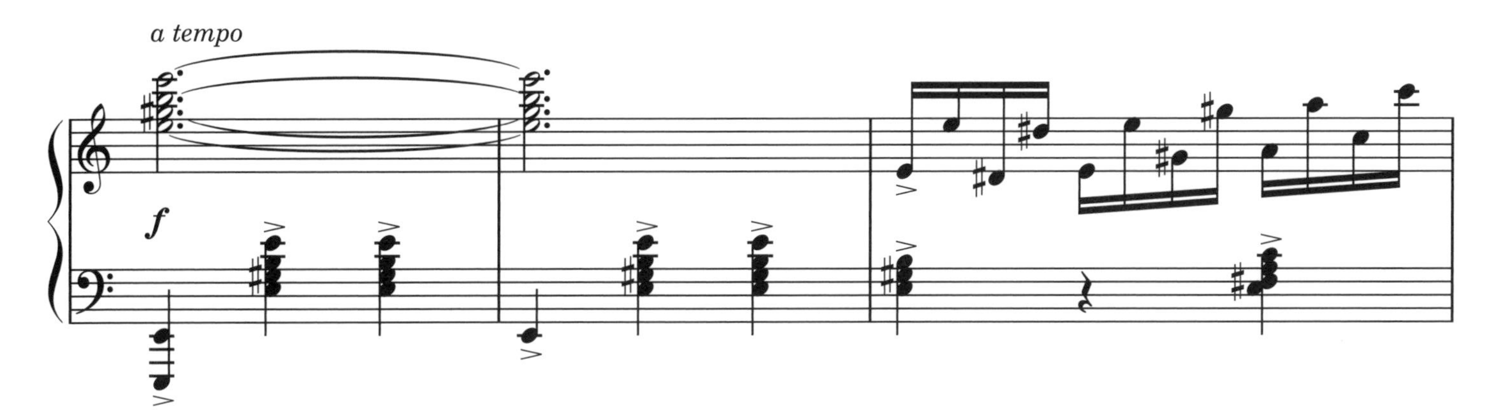
a tempo
f

8va
ff
3
3
3

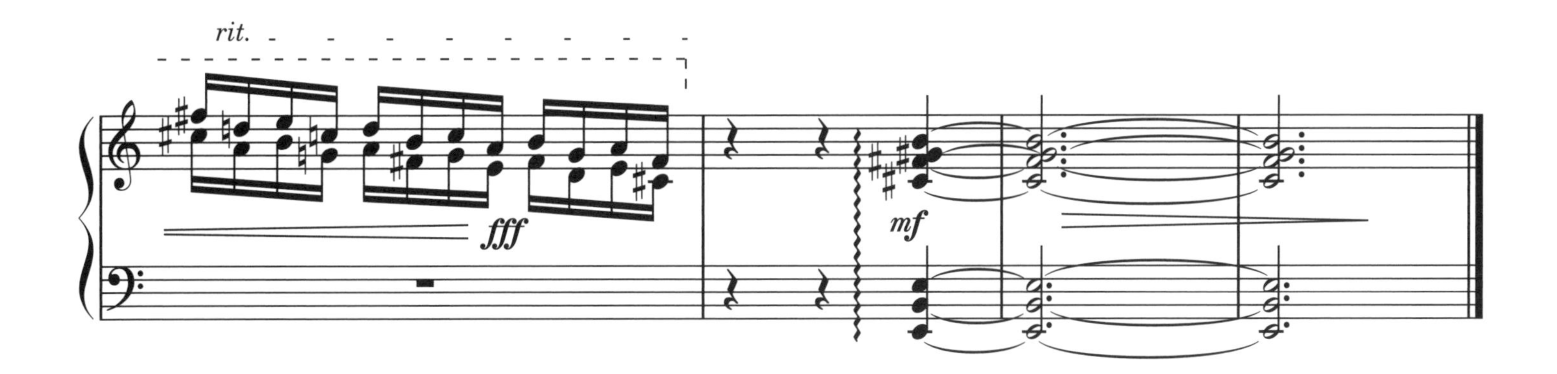
rit.
fff
mf

Ikaros

JOE HISAISHI

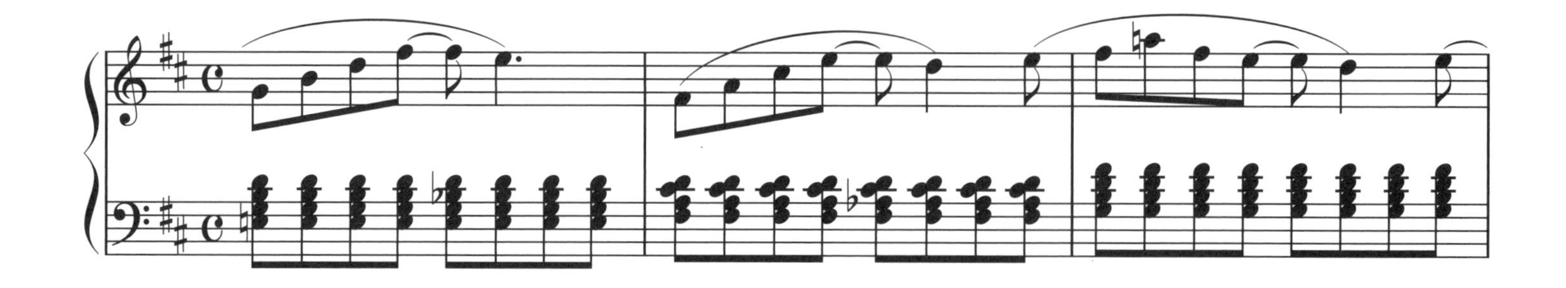

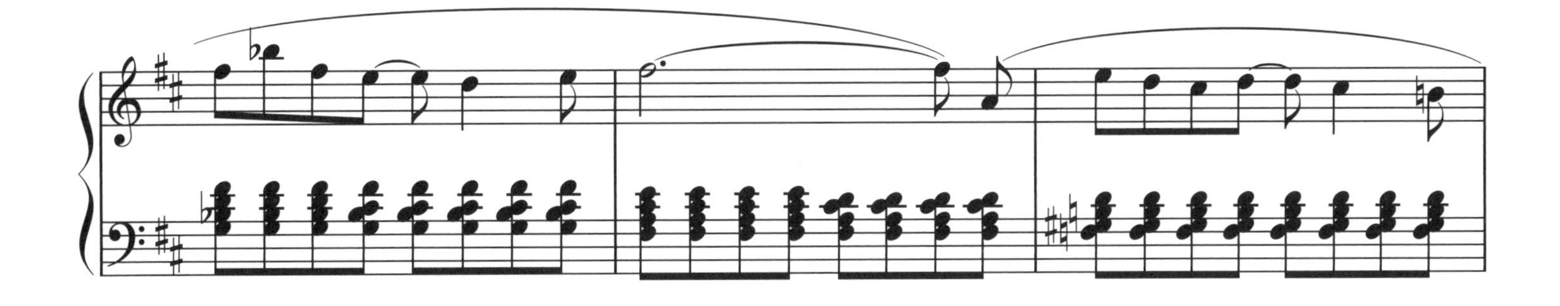

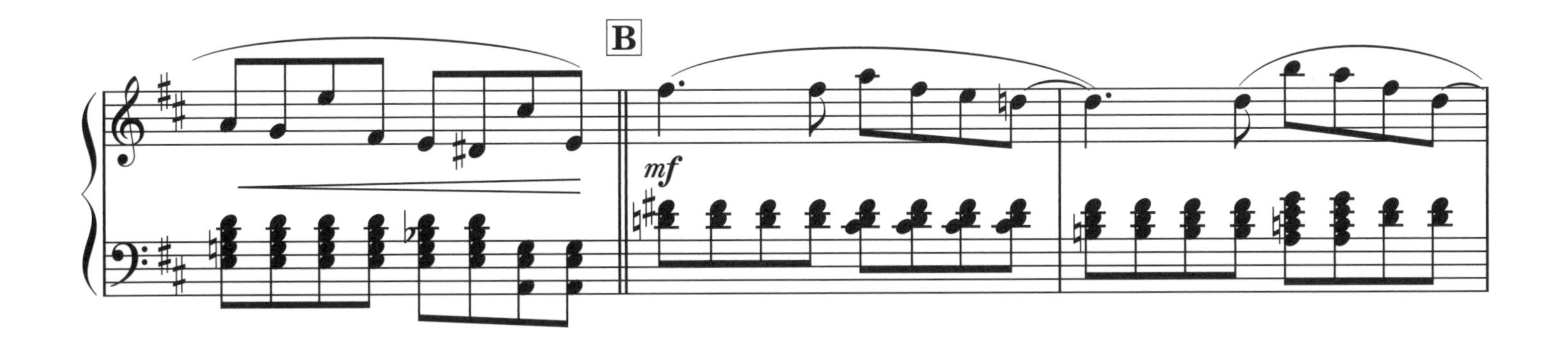
B
mf

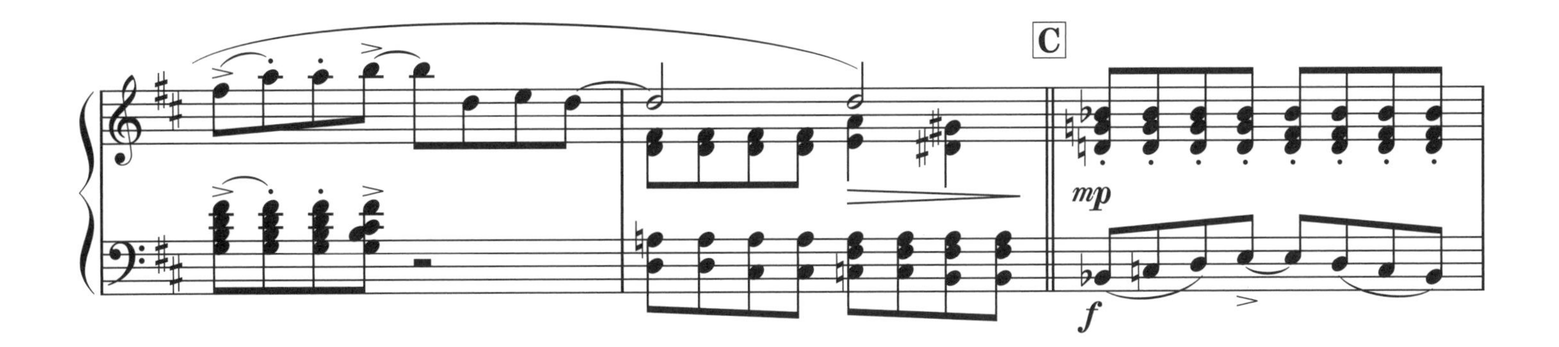
C
mp
f

simile

mf
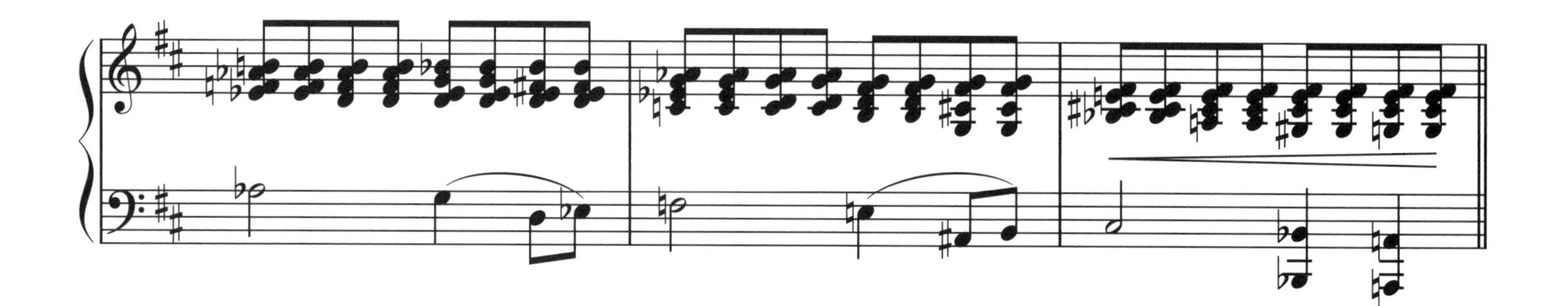
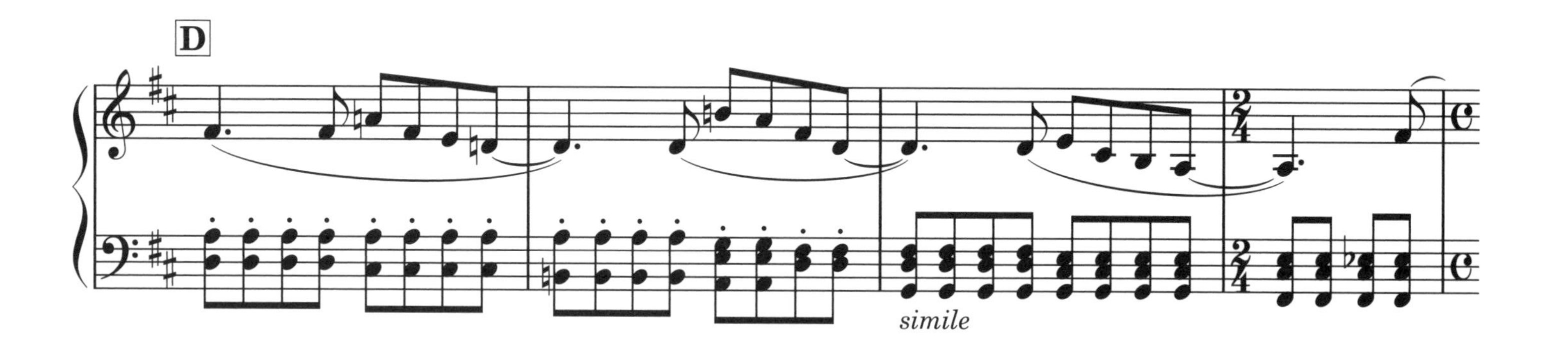
D
simile

simile

rit.

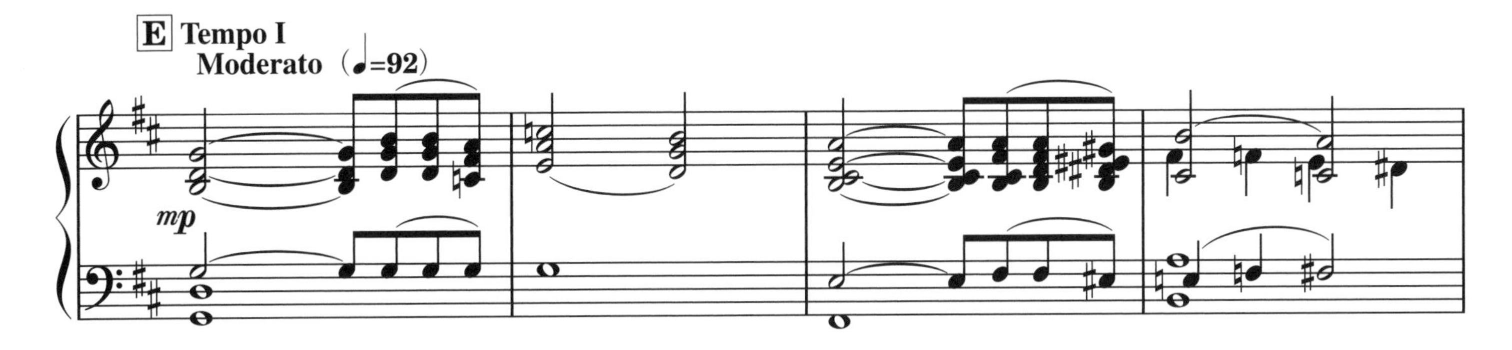
E Tempo I
Moderato (♩=92)
mp

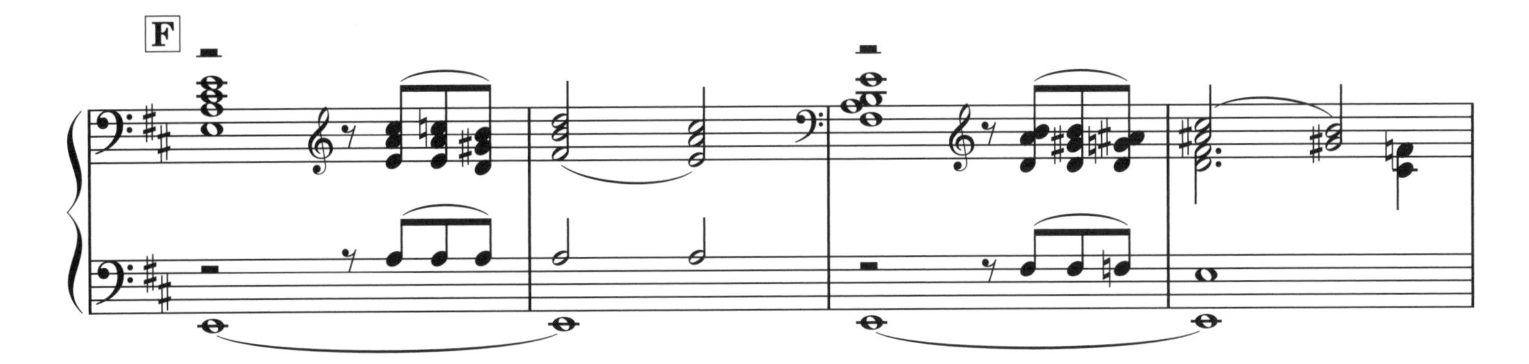
F

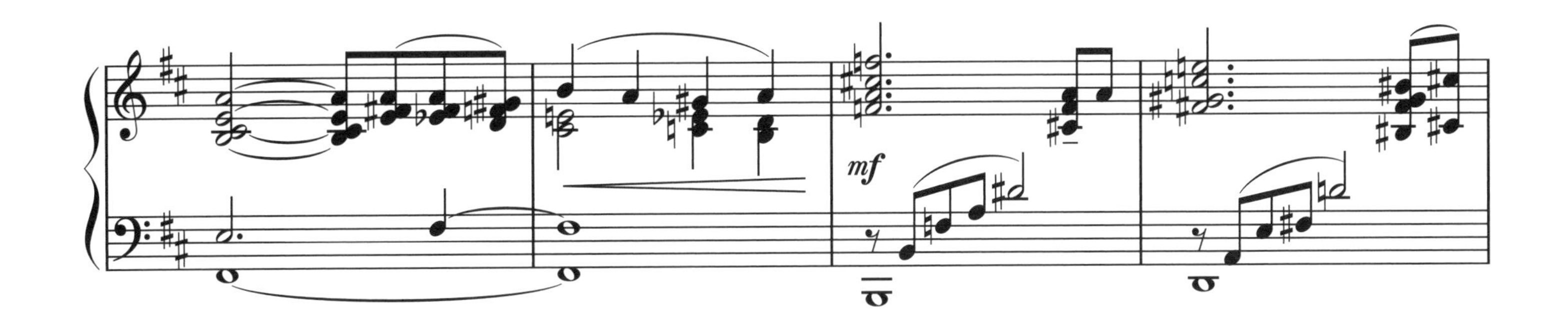
mf

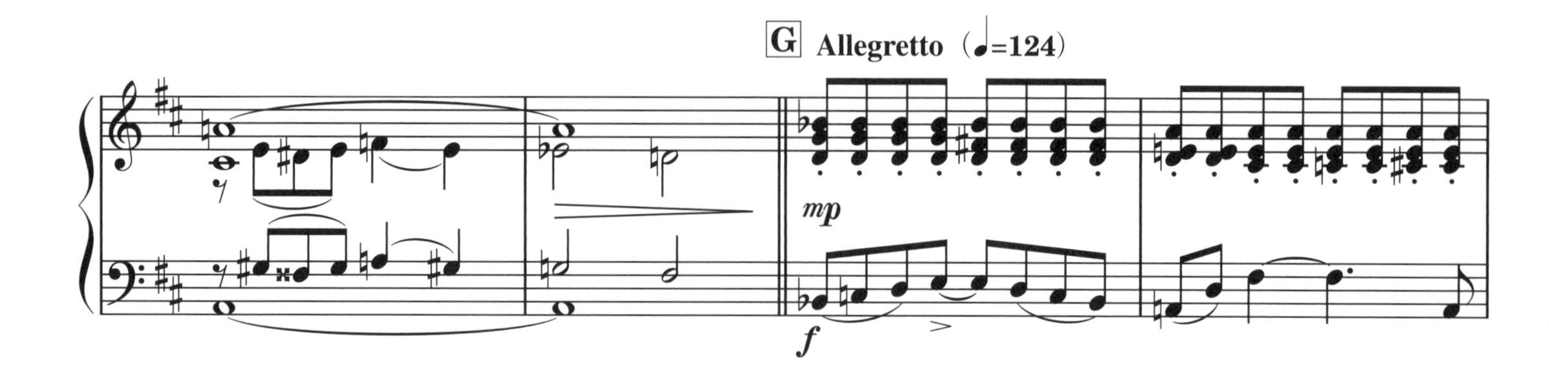
G
Allegretto (♩=124)
mp
f

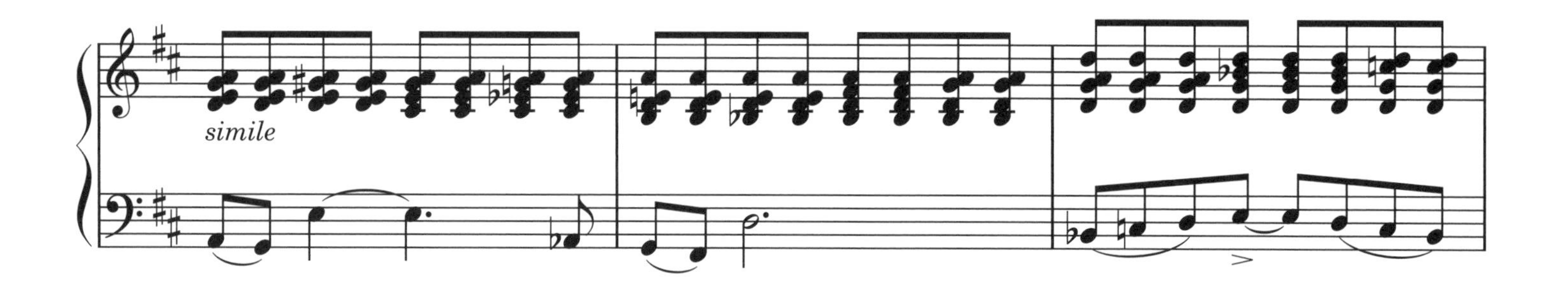
simile

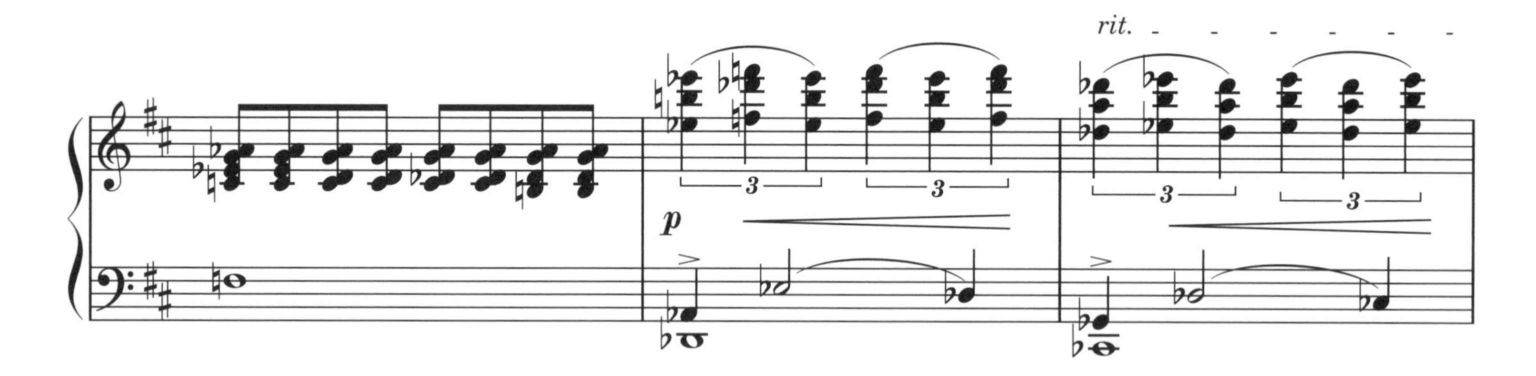
rit.
p
3

Meno mosso

H
mf
simile

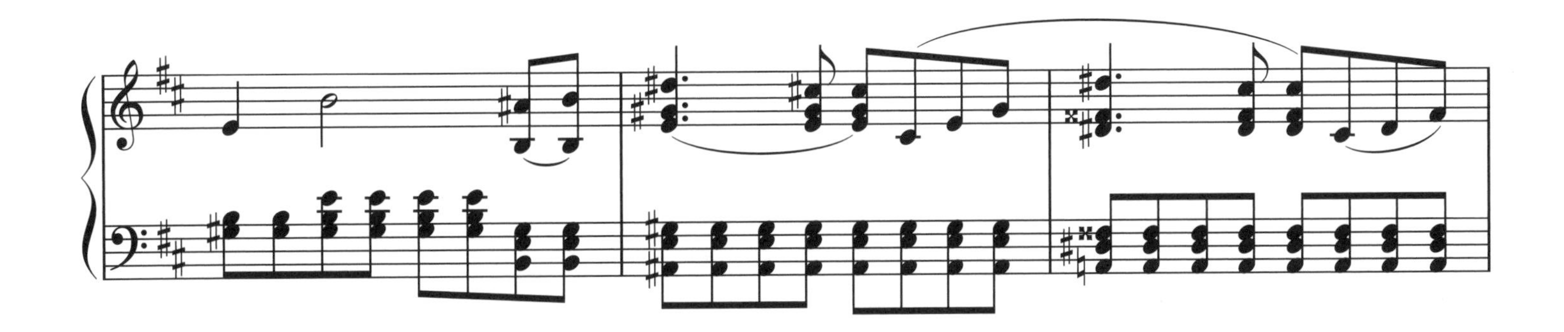

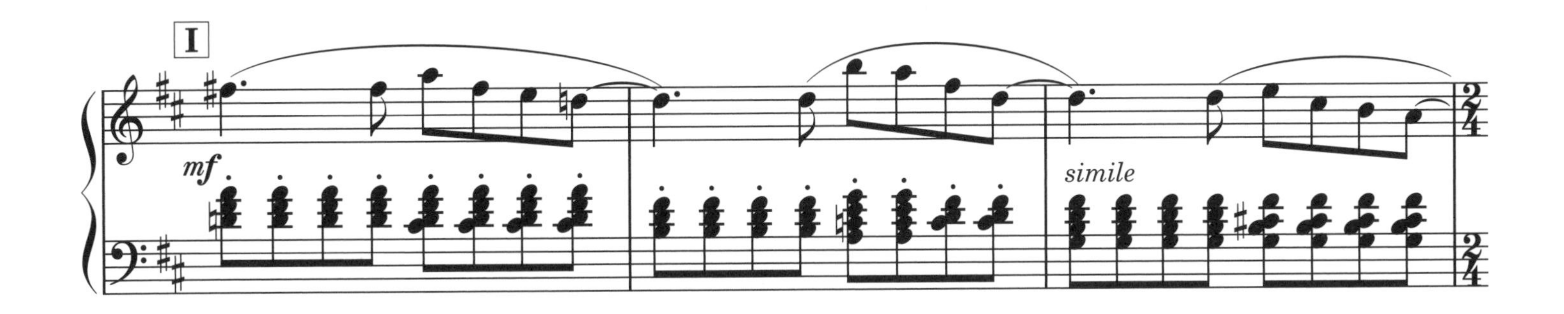
I
mf
simile

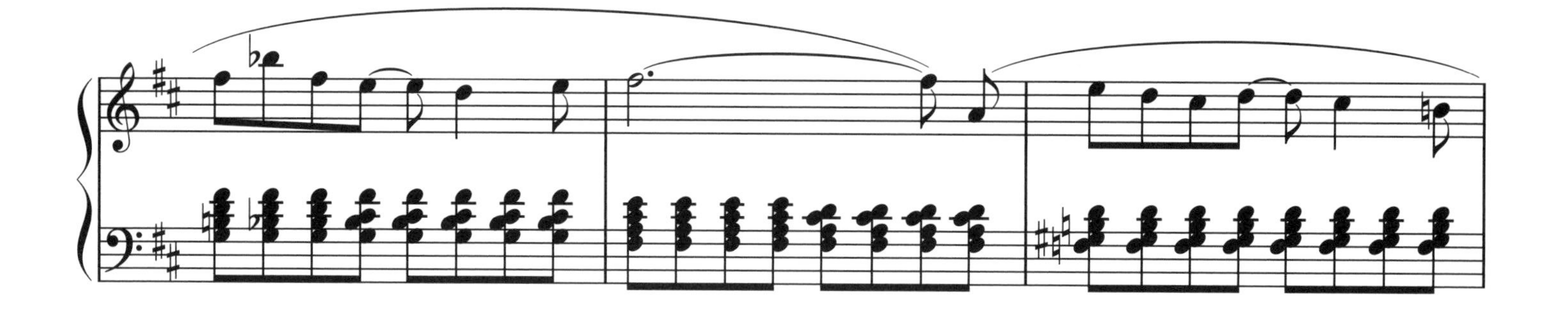

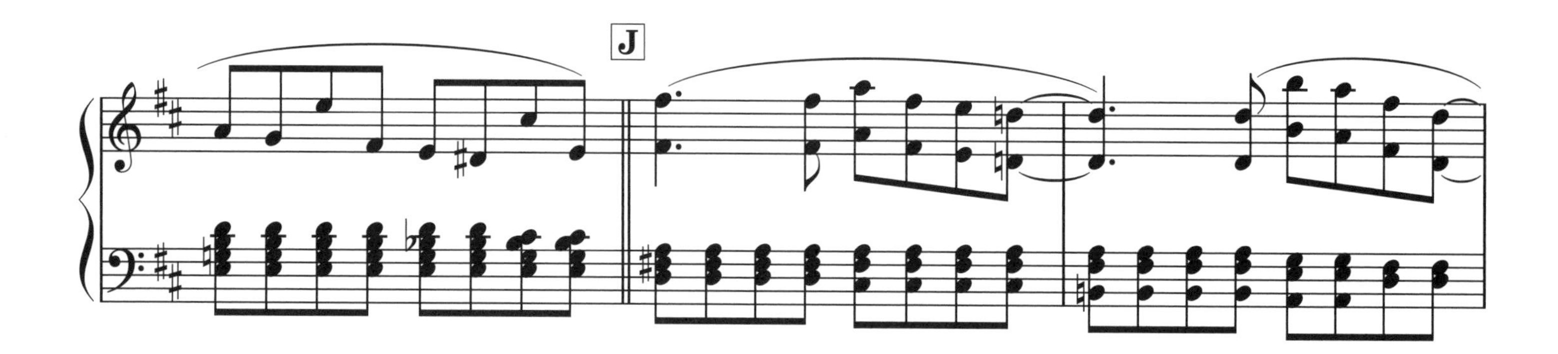
J

JOE HISAISHI
FREEDOM

Spring

JOE HISAISHI

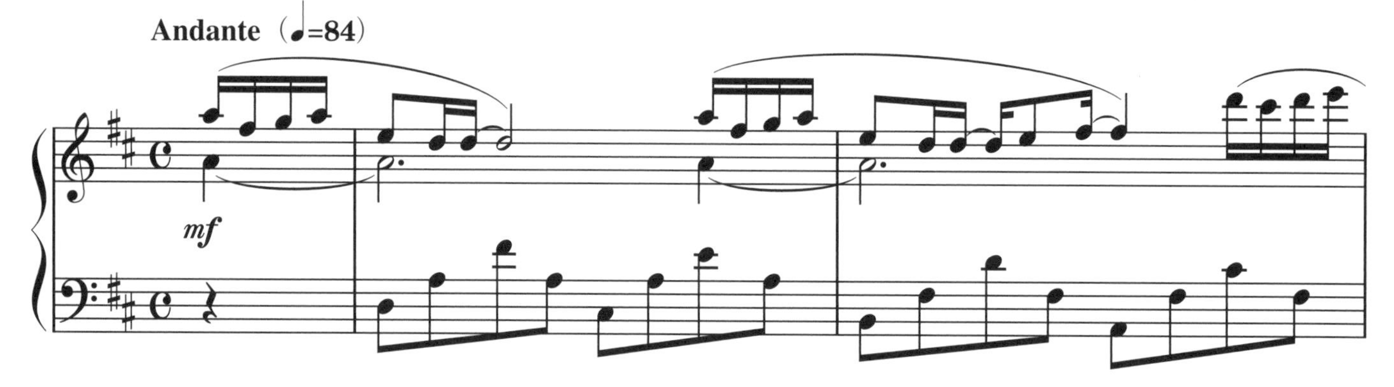

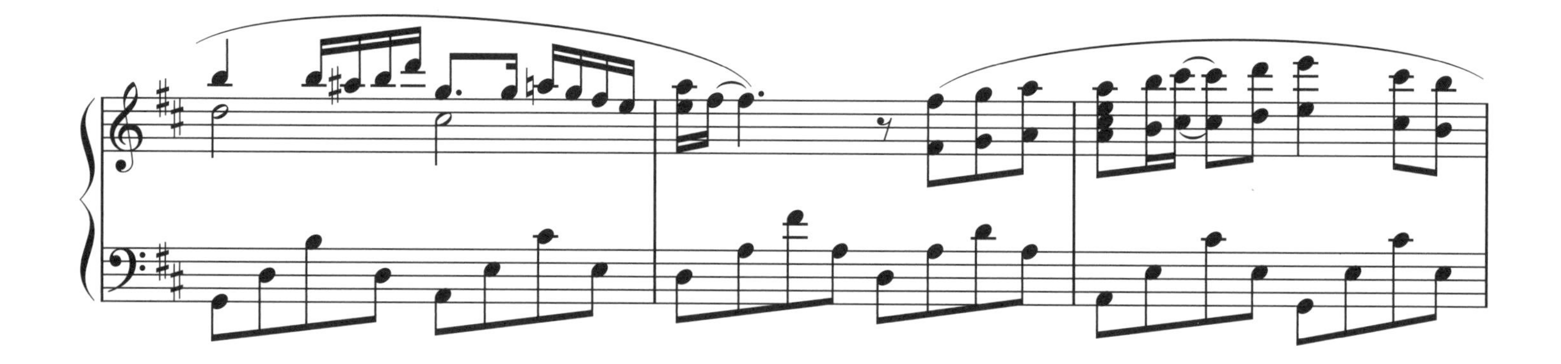

冊
全音楽譜出版社
久石 譲
mf

+税10%

月 日
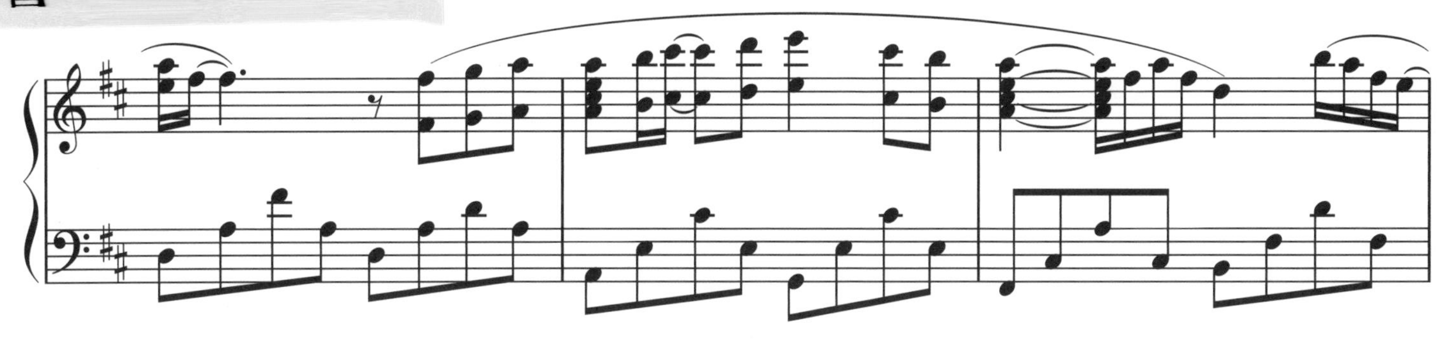

mp
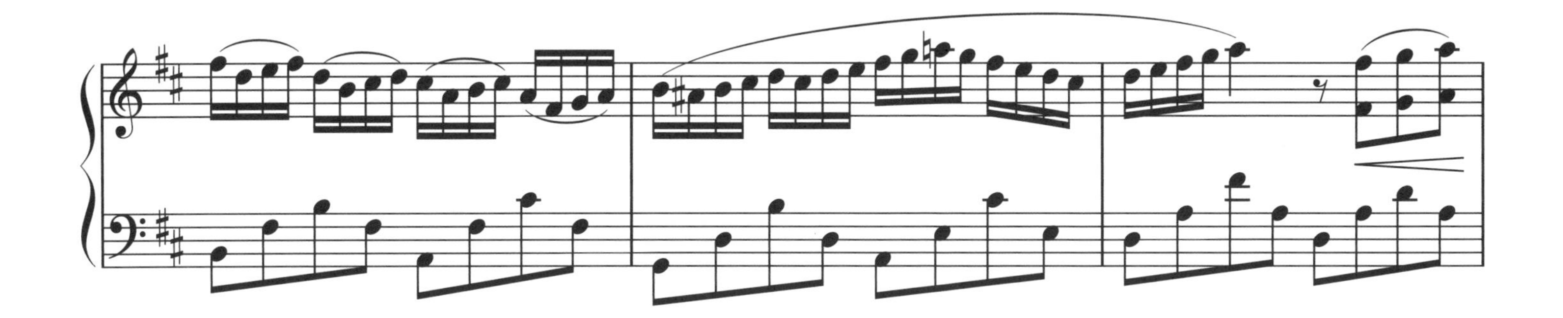

ISBN978-4-11-179014-2
C0073 ¥1800E
定価1,980円(本
mp

mp

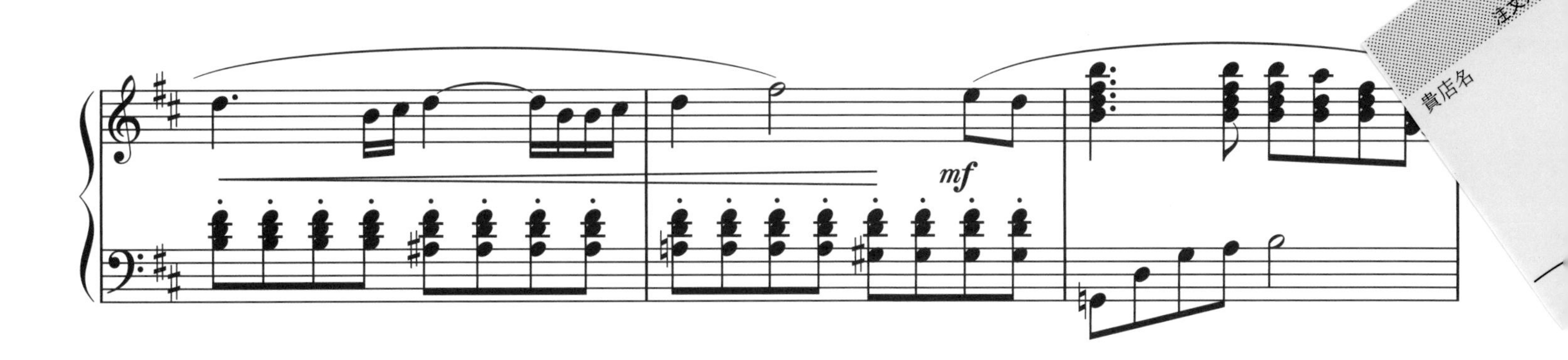
mf
定価1,980円
注文カード
貴店名

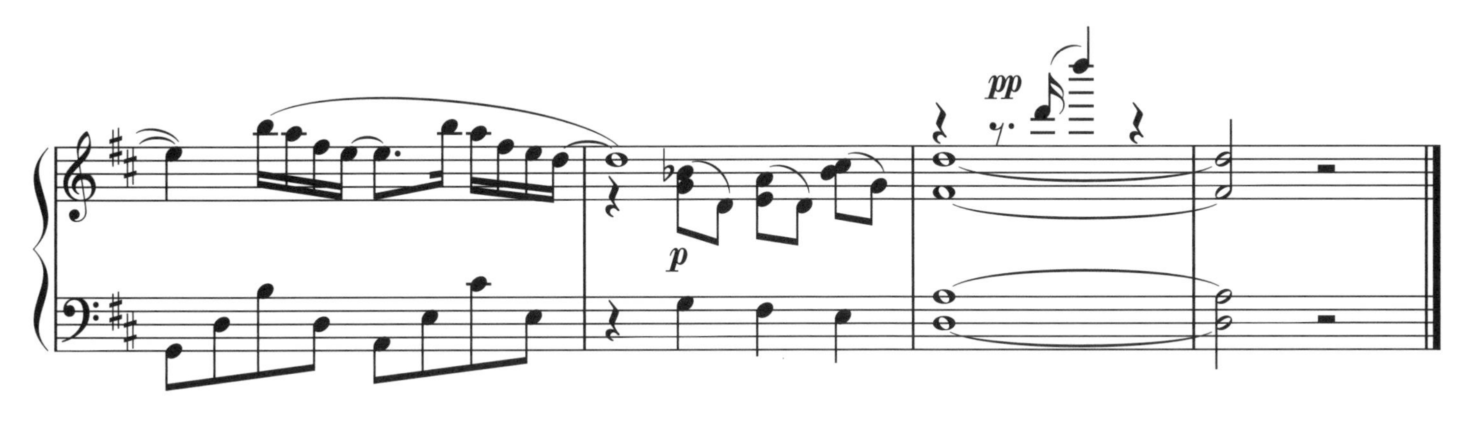
p
pp

Fragile Dream

JOE HISAISHI

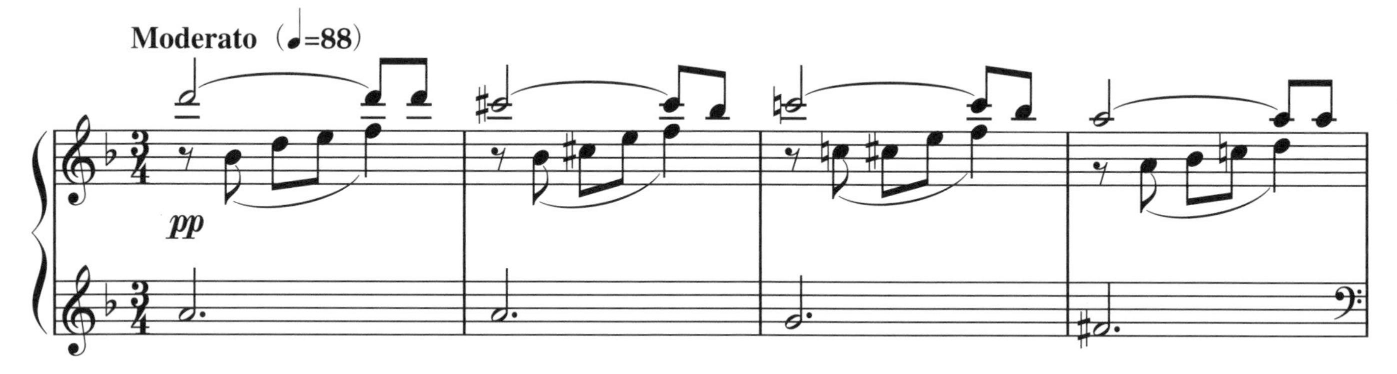

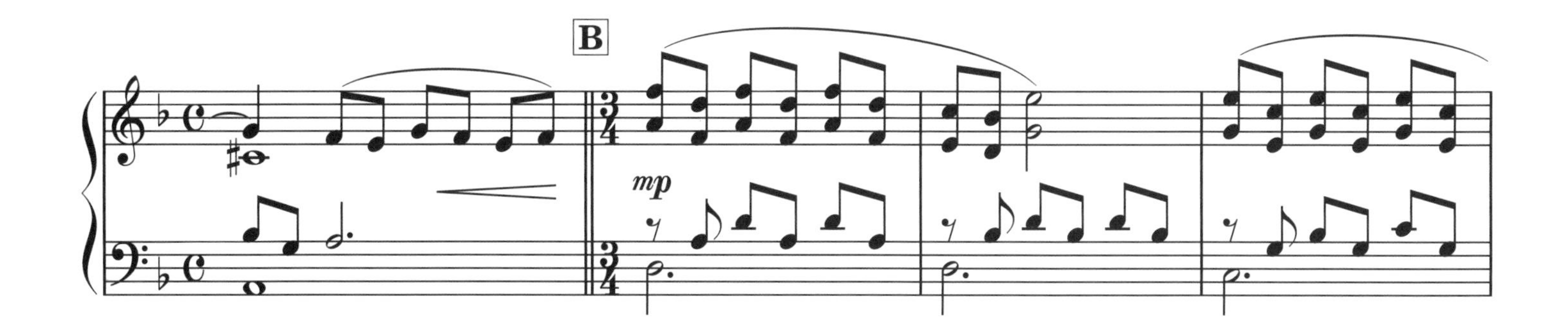
B
mp

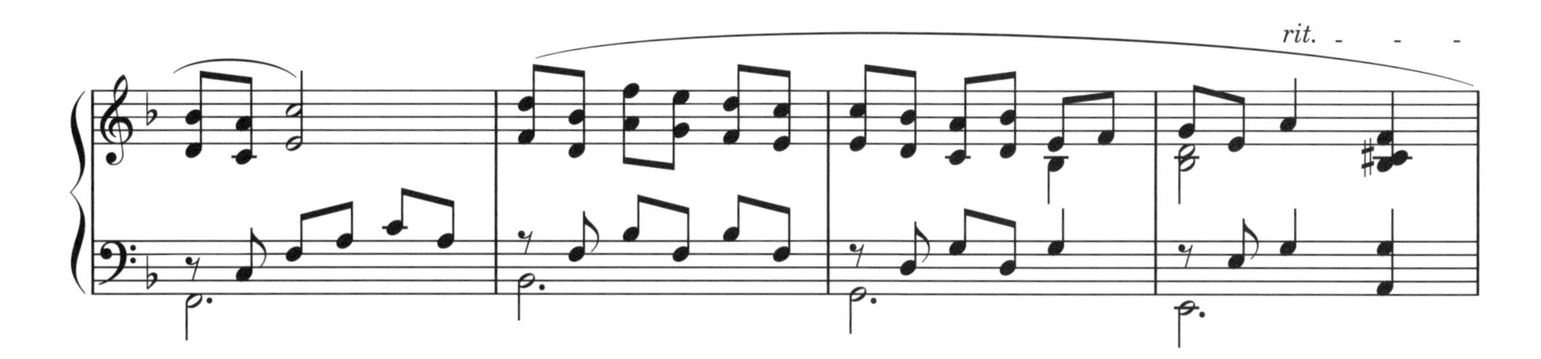
rit.

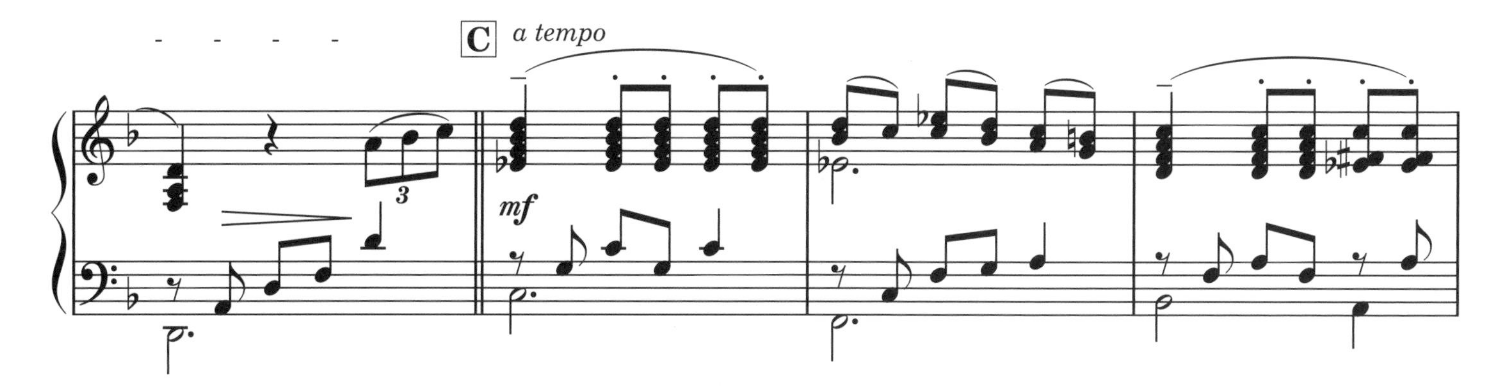
C
a tempo
3
mf

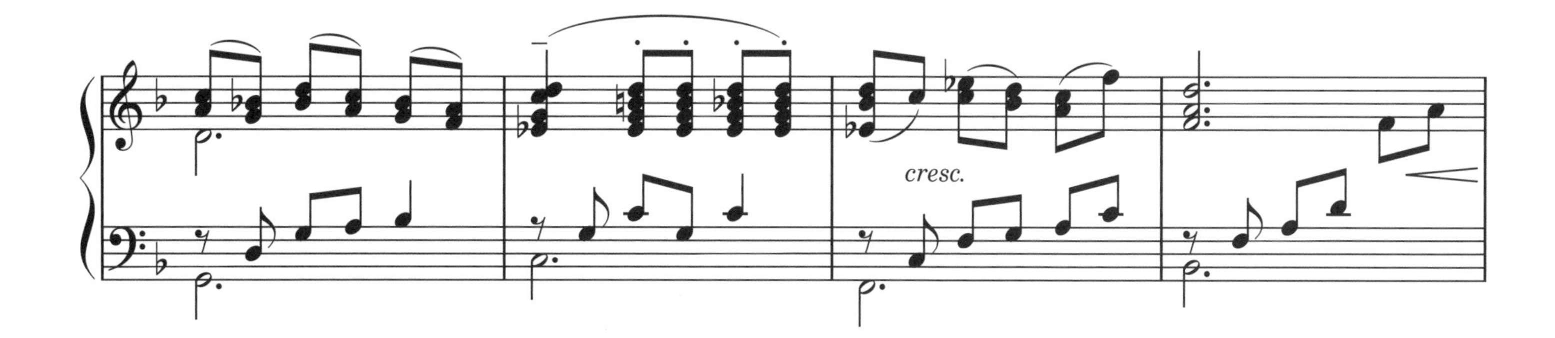
cresc.

D
f

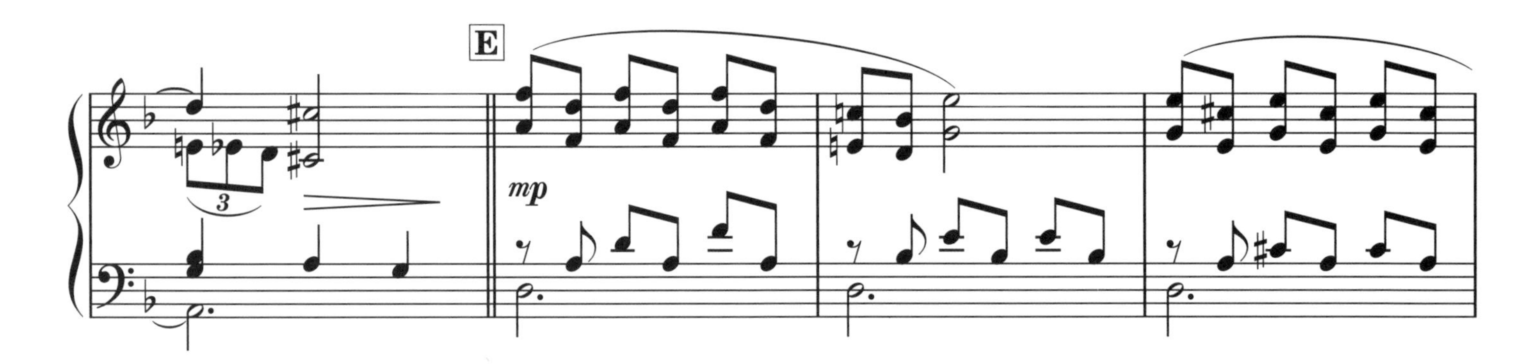
E
mp

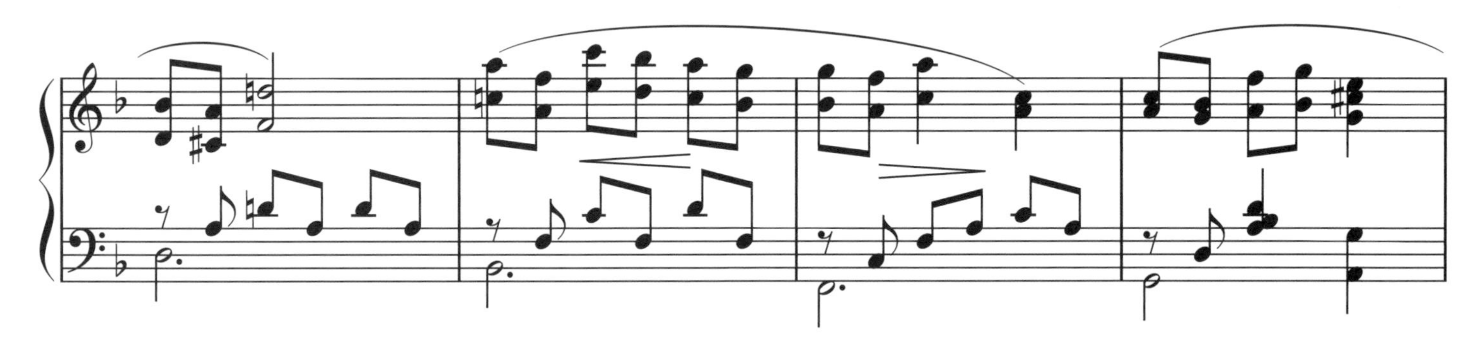

rit.
F
Tempo I
pp

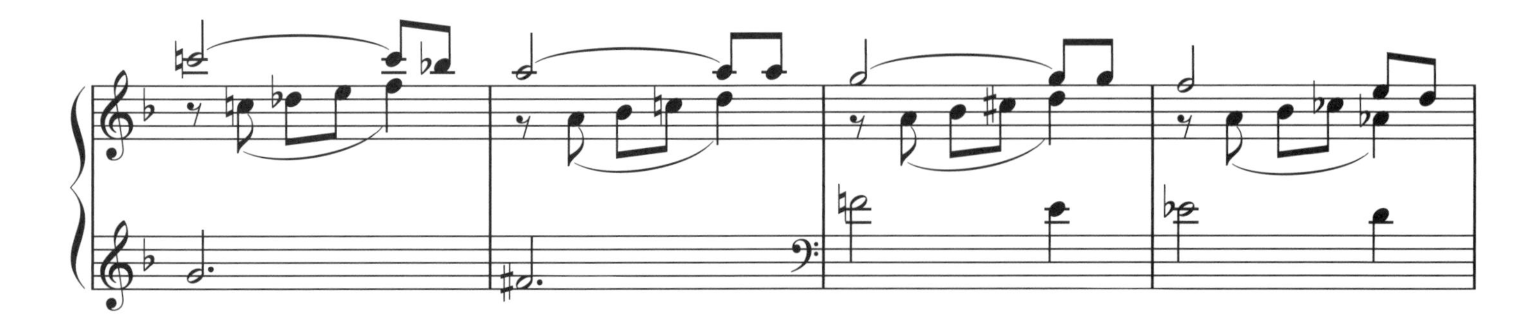

G
mp

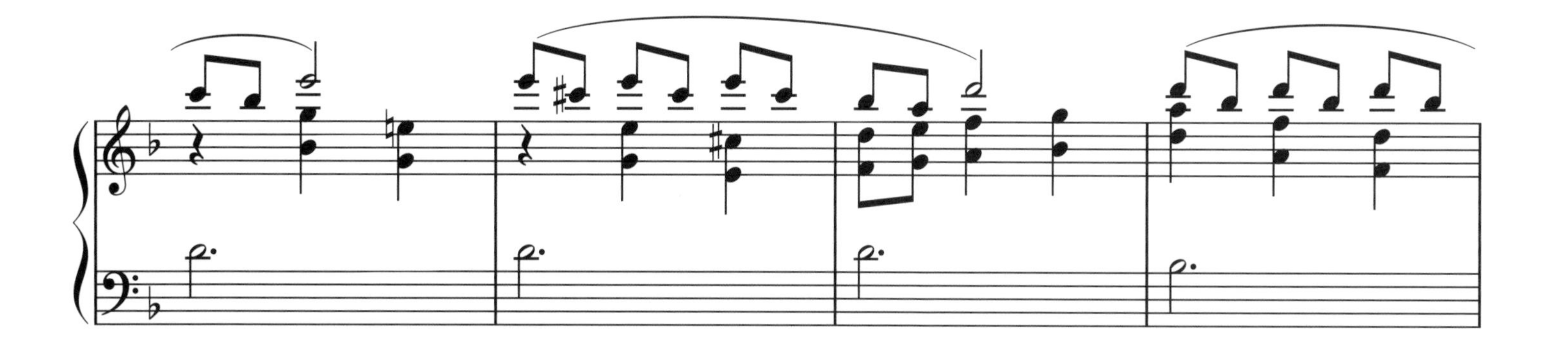

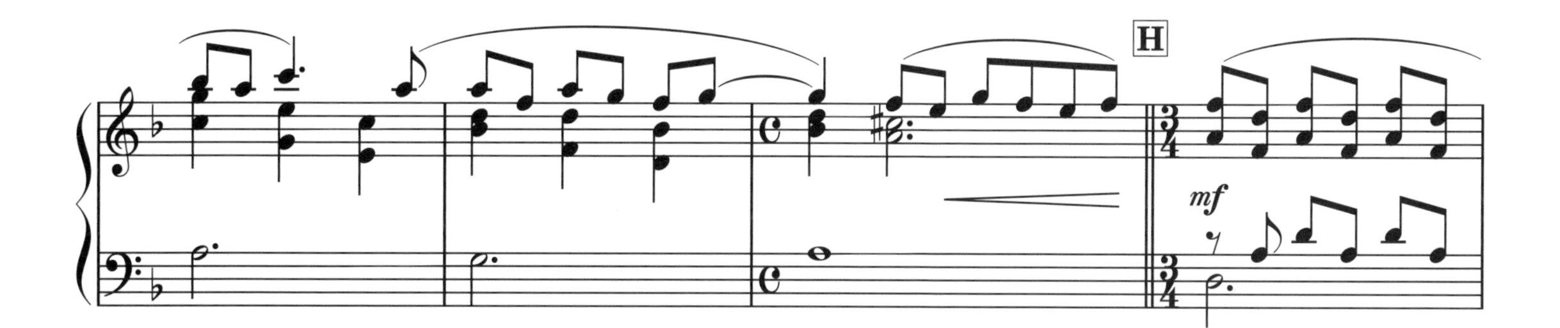
H
mf

3

poco più mosso

I
mf

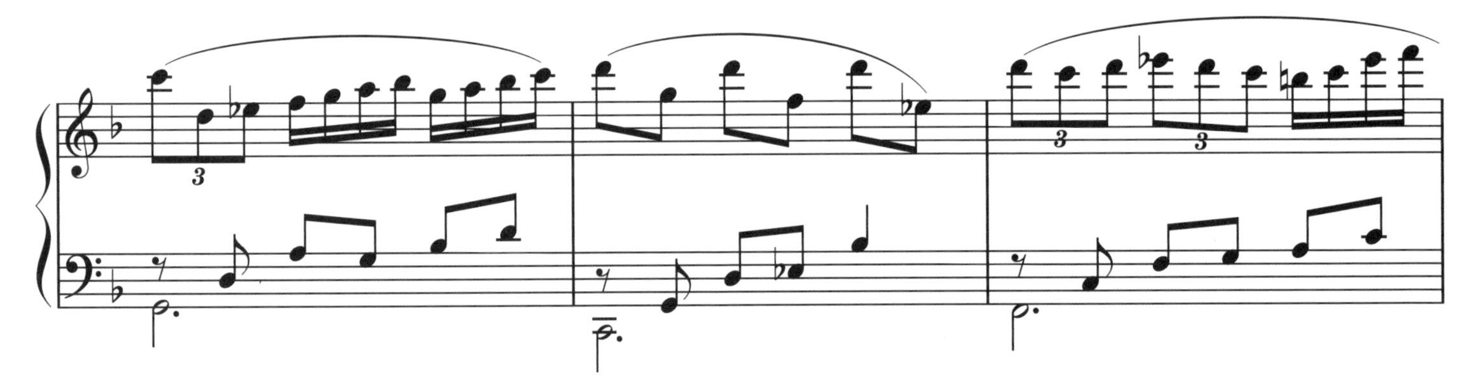

J
f

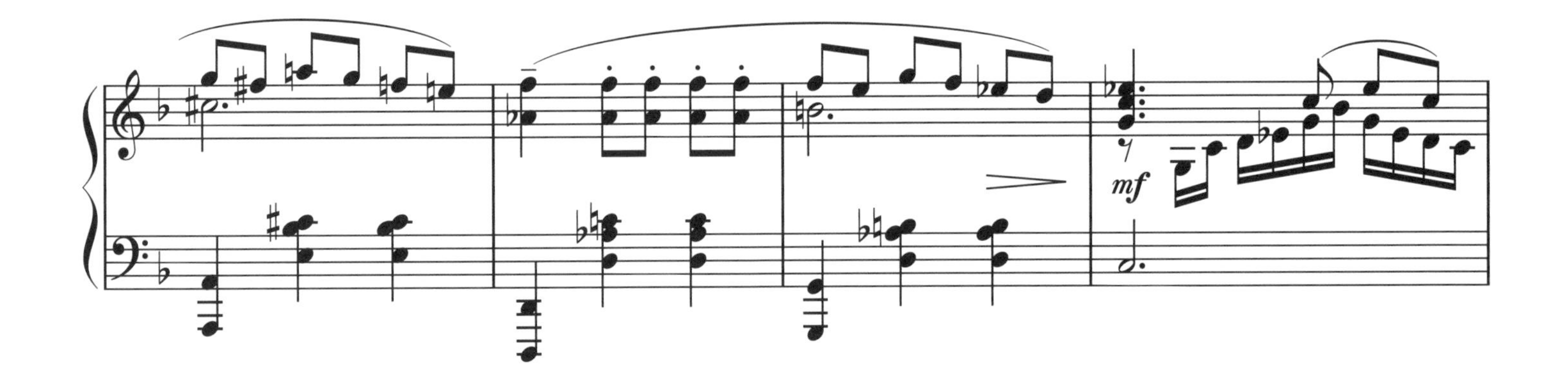
mf

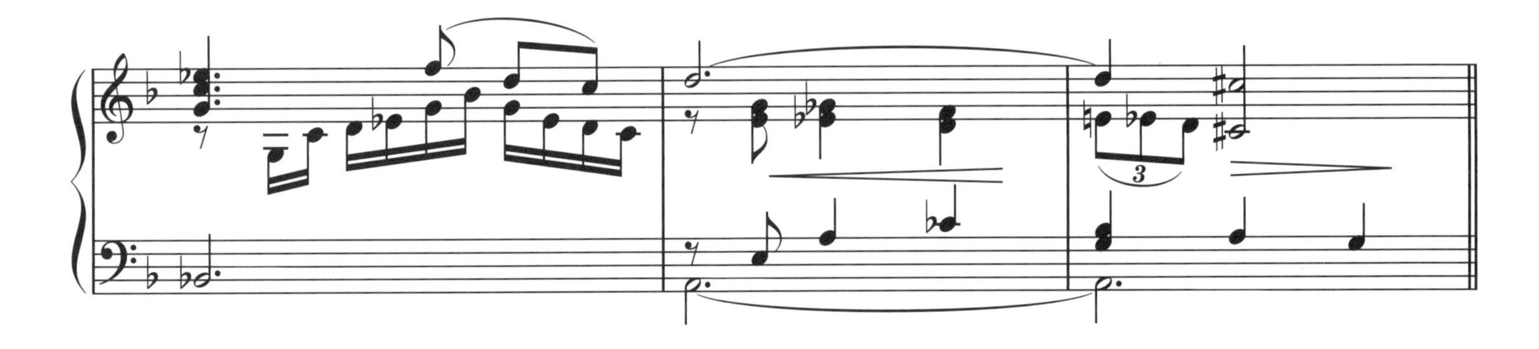

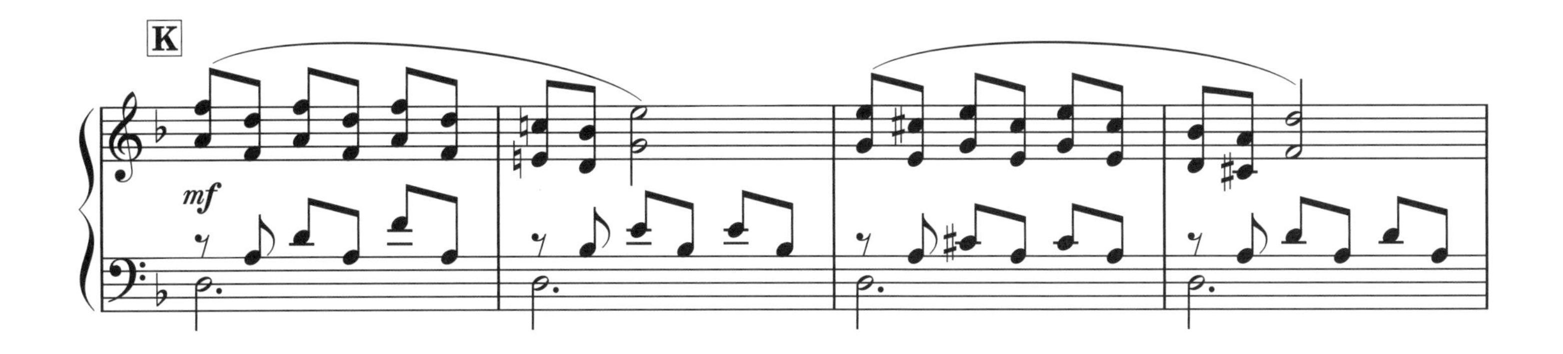
K
mf

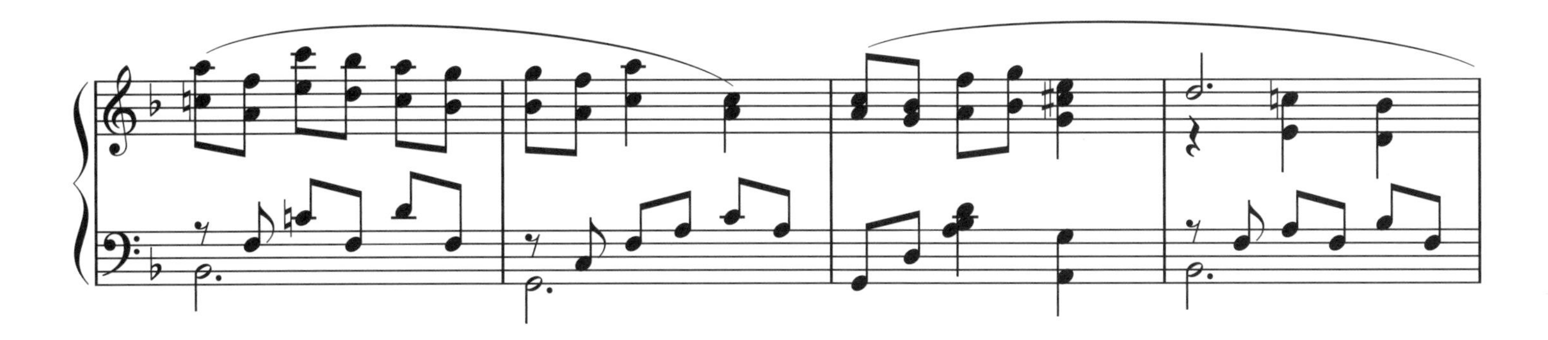

L
Meno mosso
mp

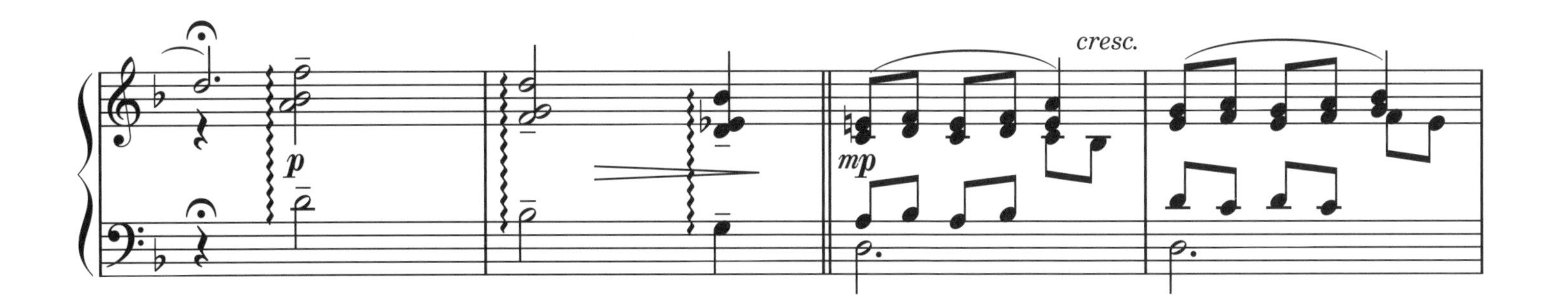
p
cresc.
mp

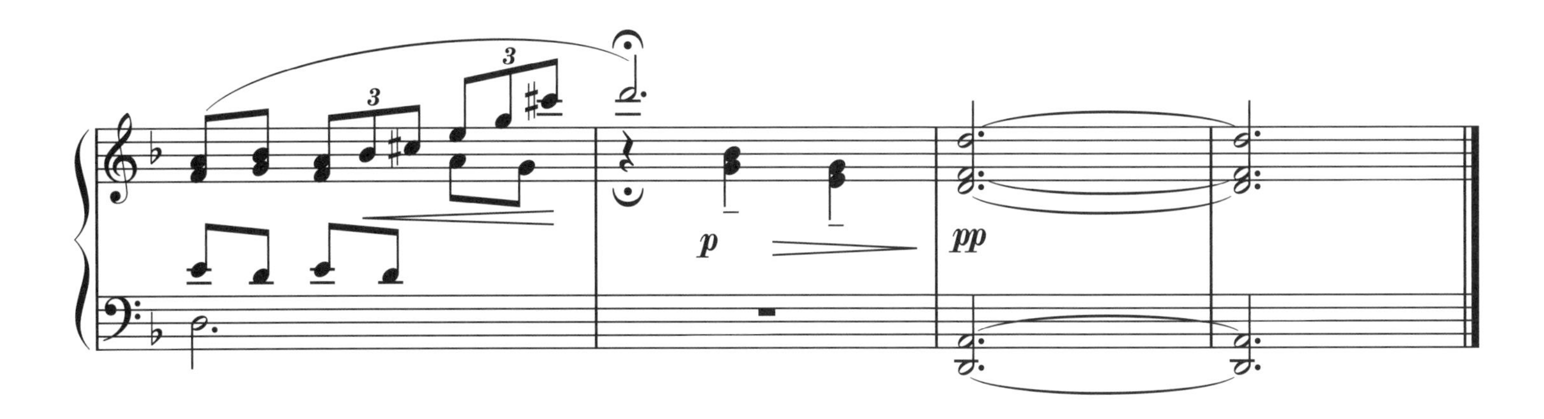
3
3
p
pp

Oriental Wind

JOE HISAISHI

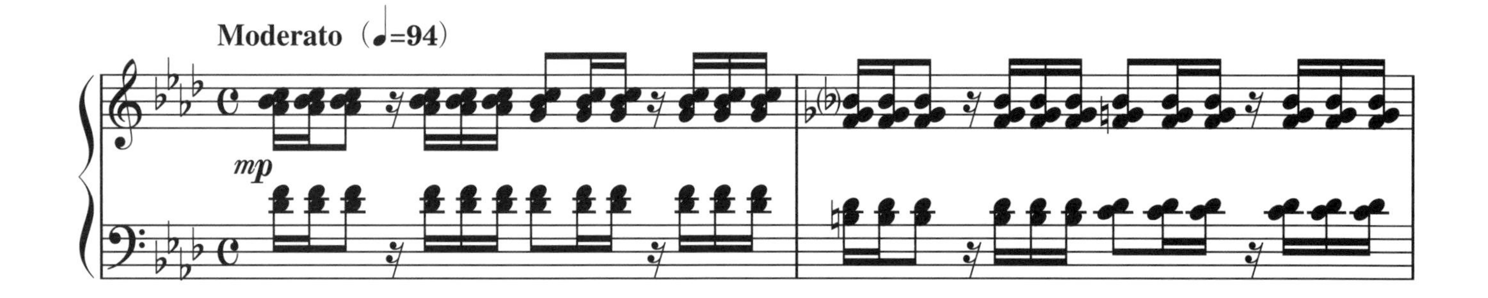

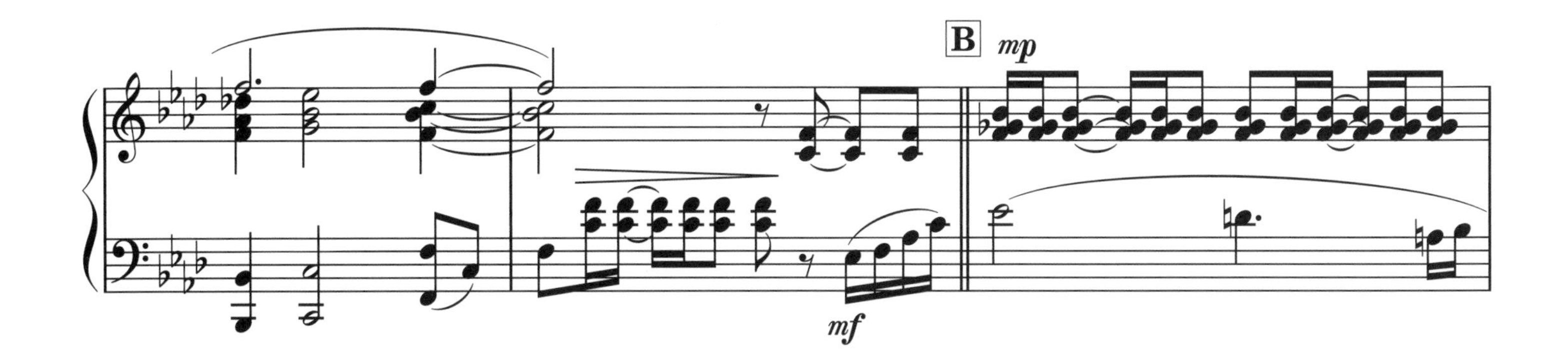
B
mp
mf

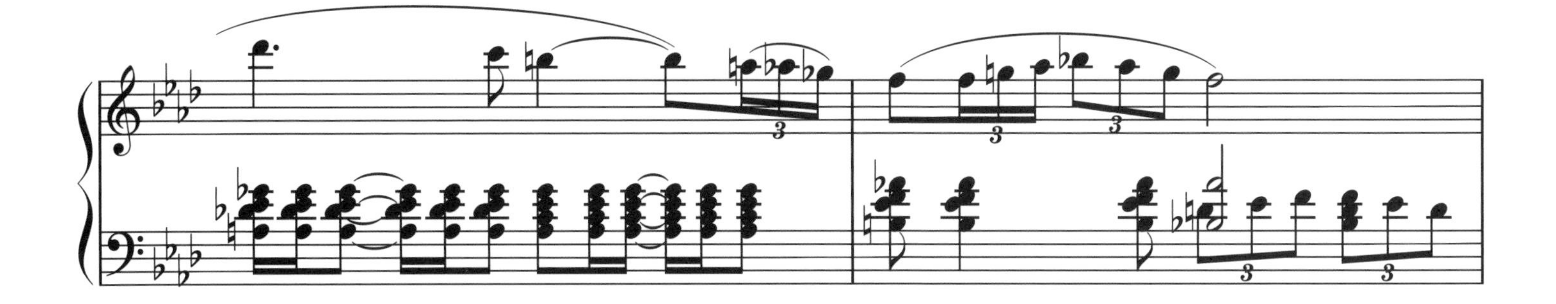

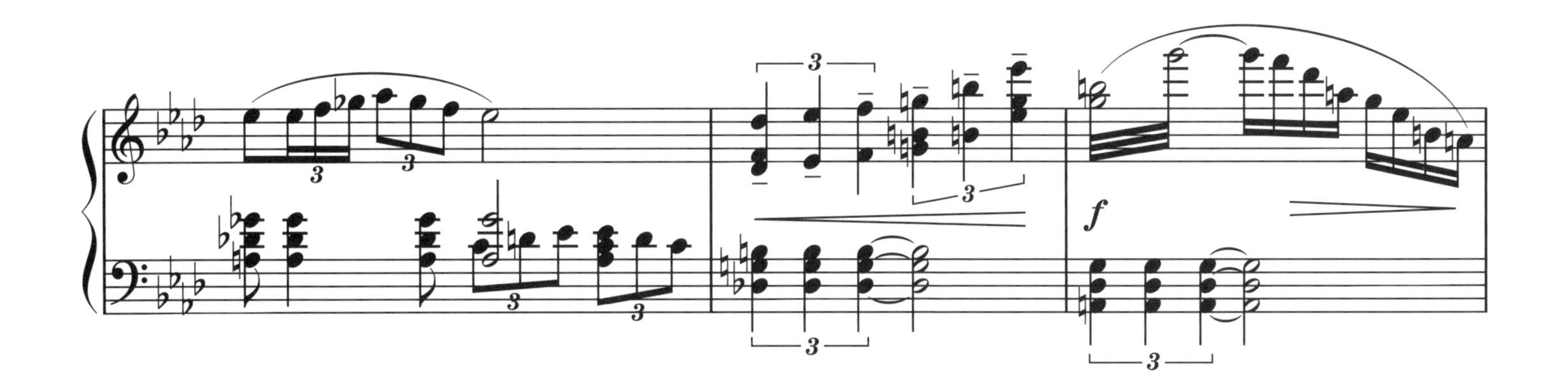
f

mf

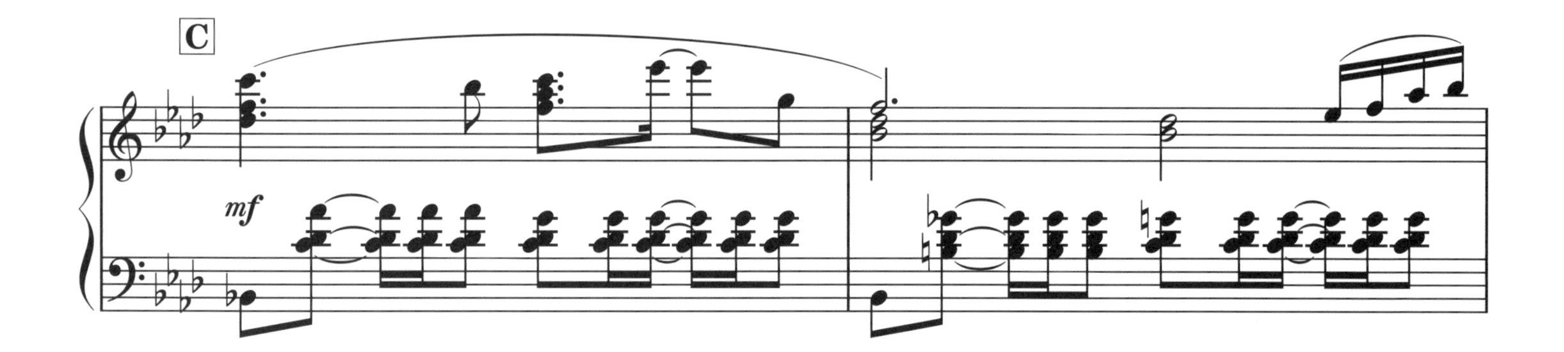
C
mf

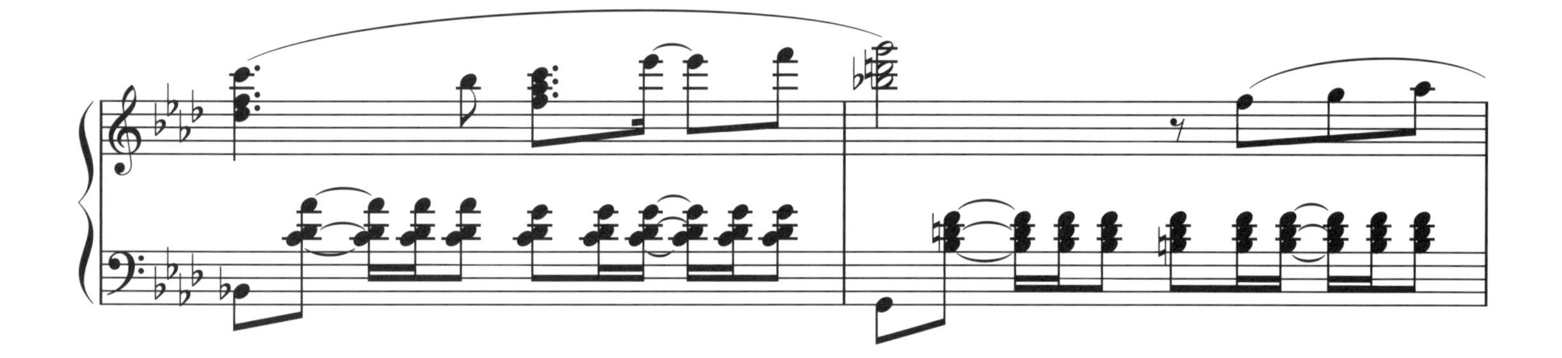

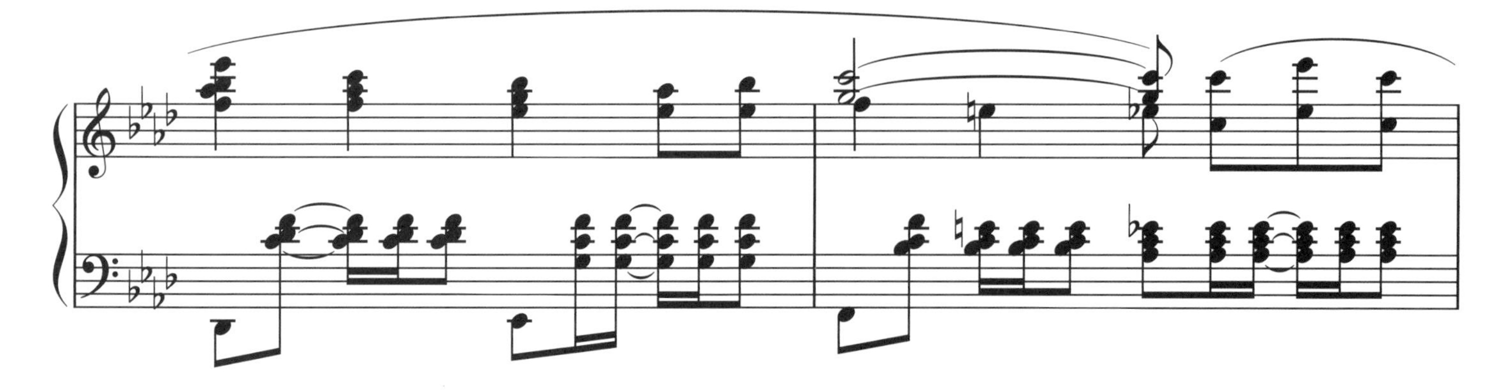

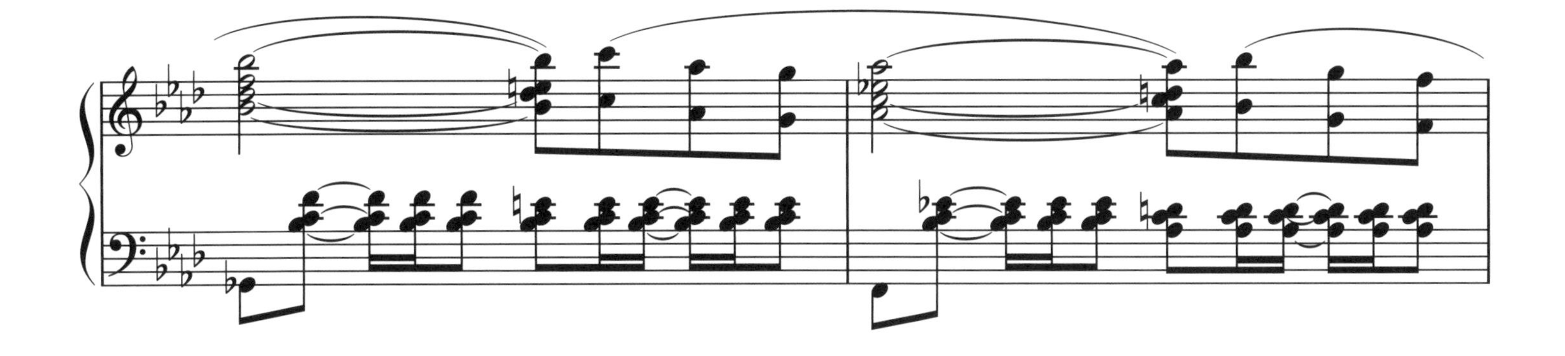

D
f marcato

E
ff

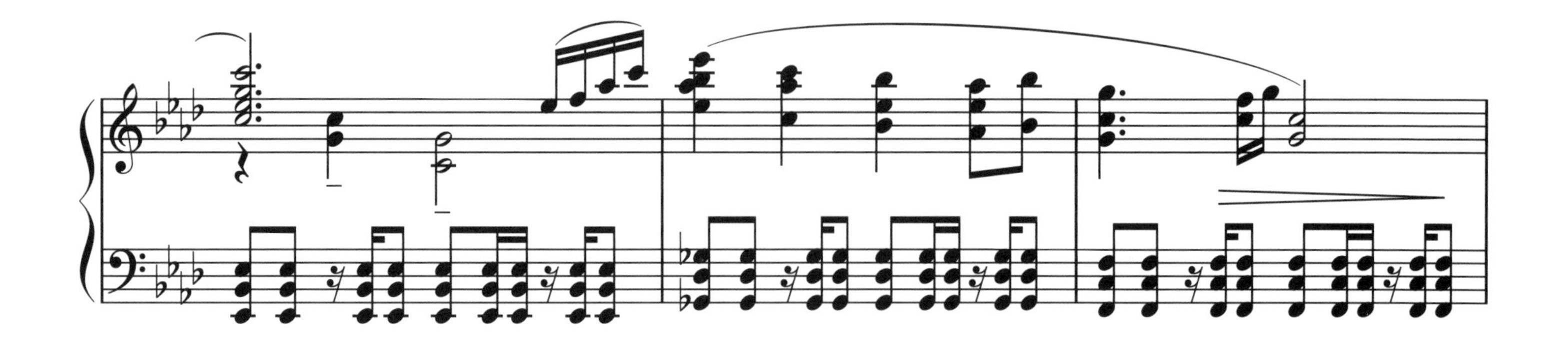

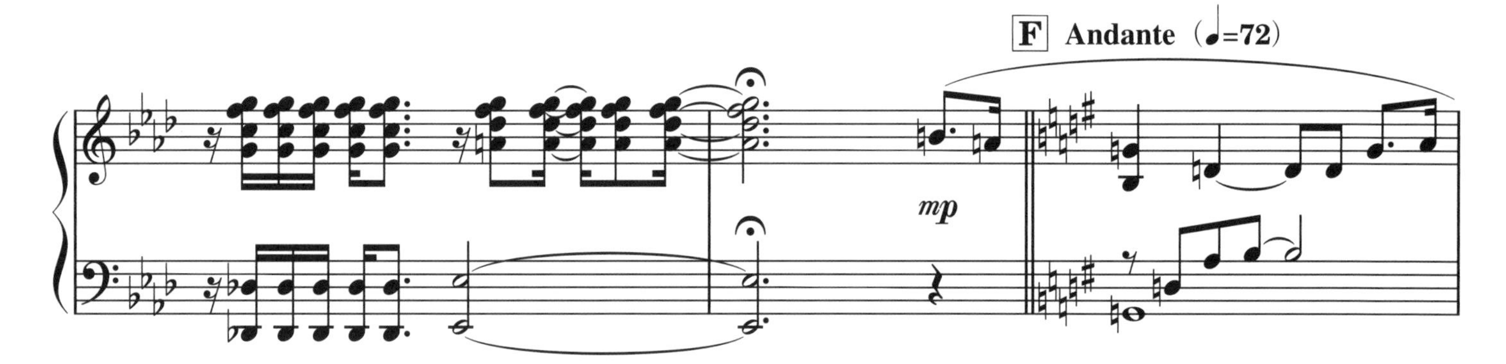
F Andante (♩=72)
mp

p

mf

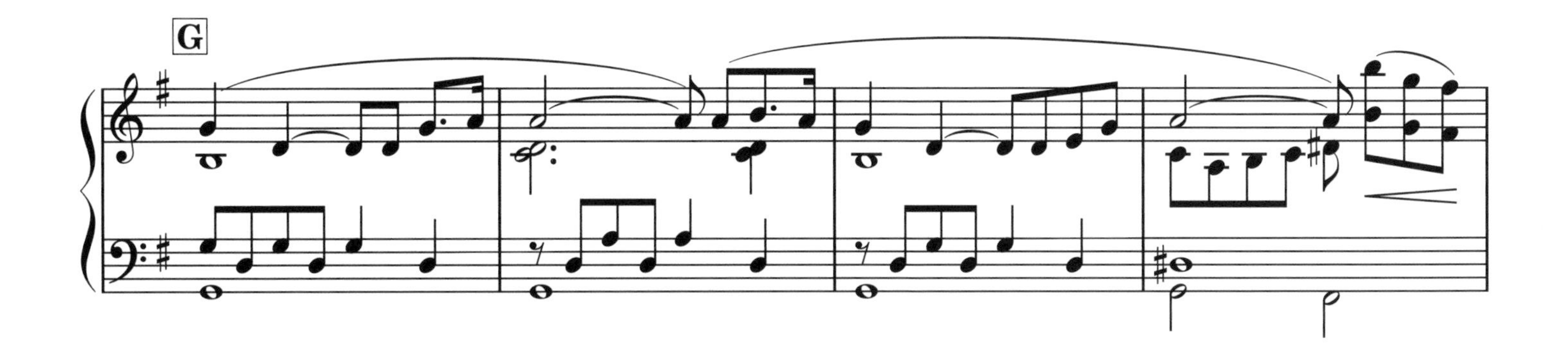
G

f
3

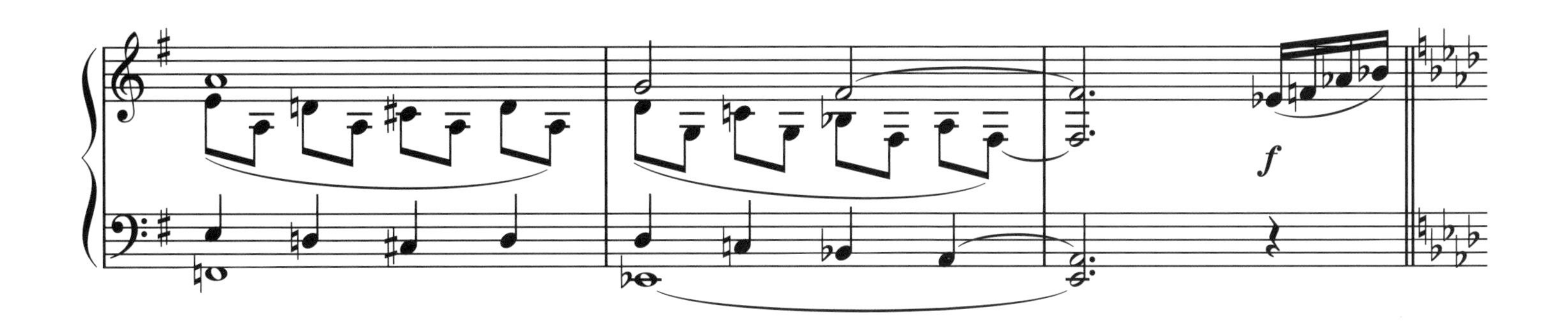
f

H

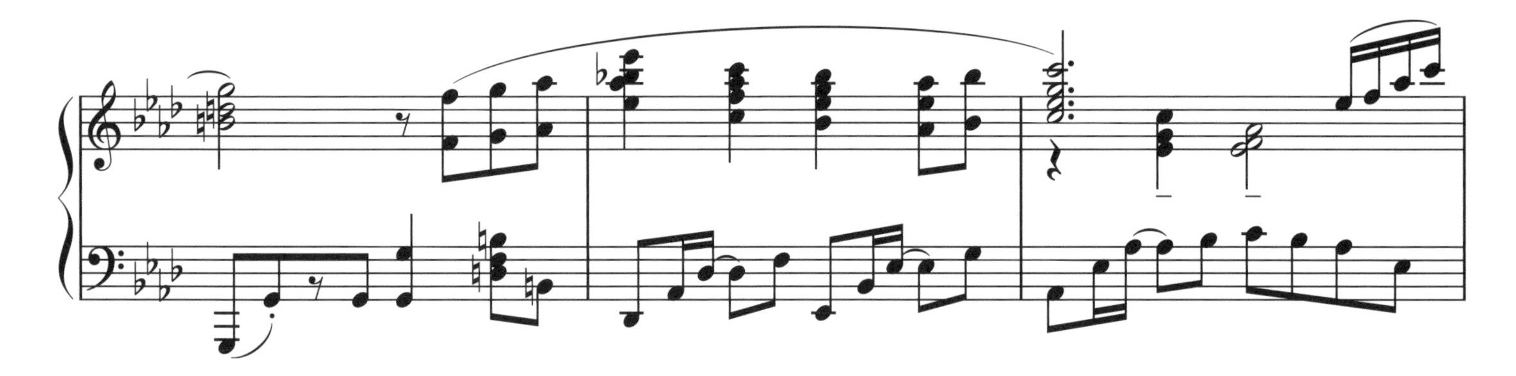

mf

I
mp

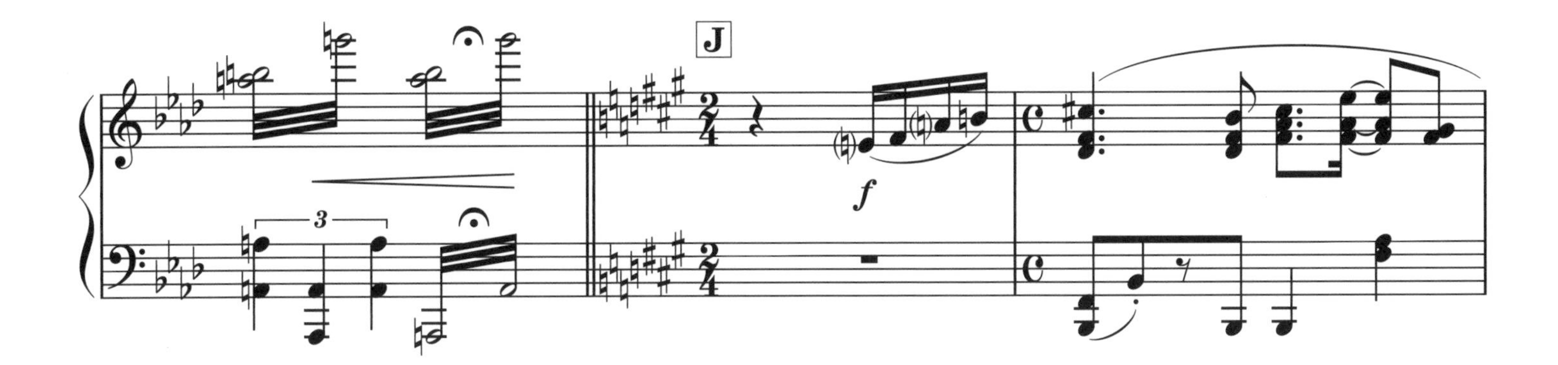
J
f

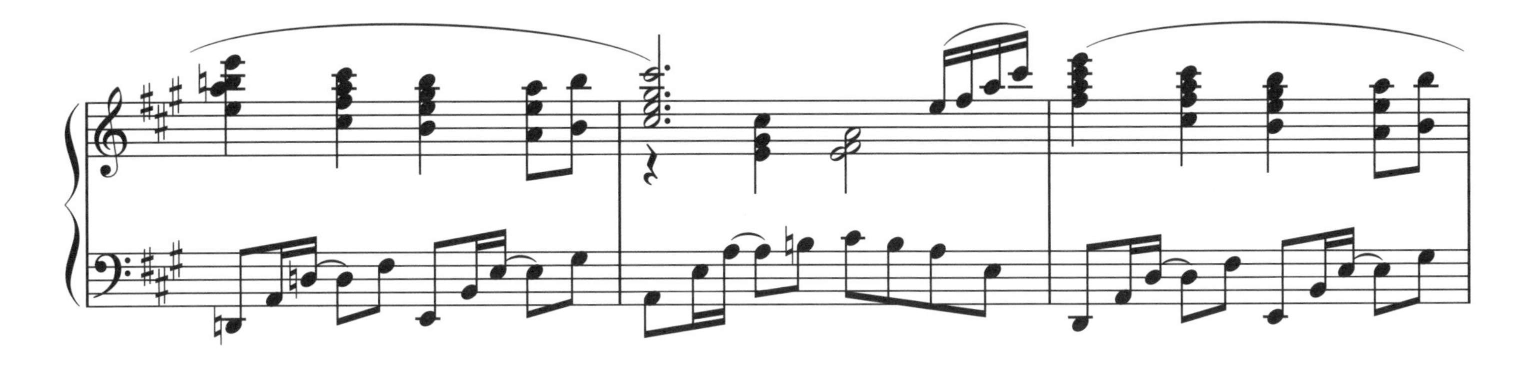

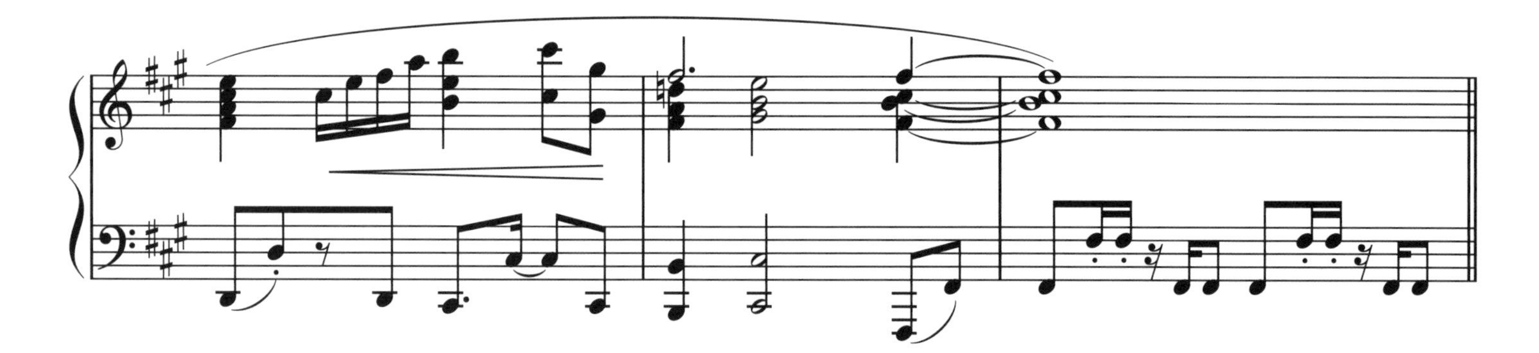

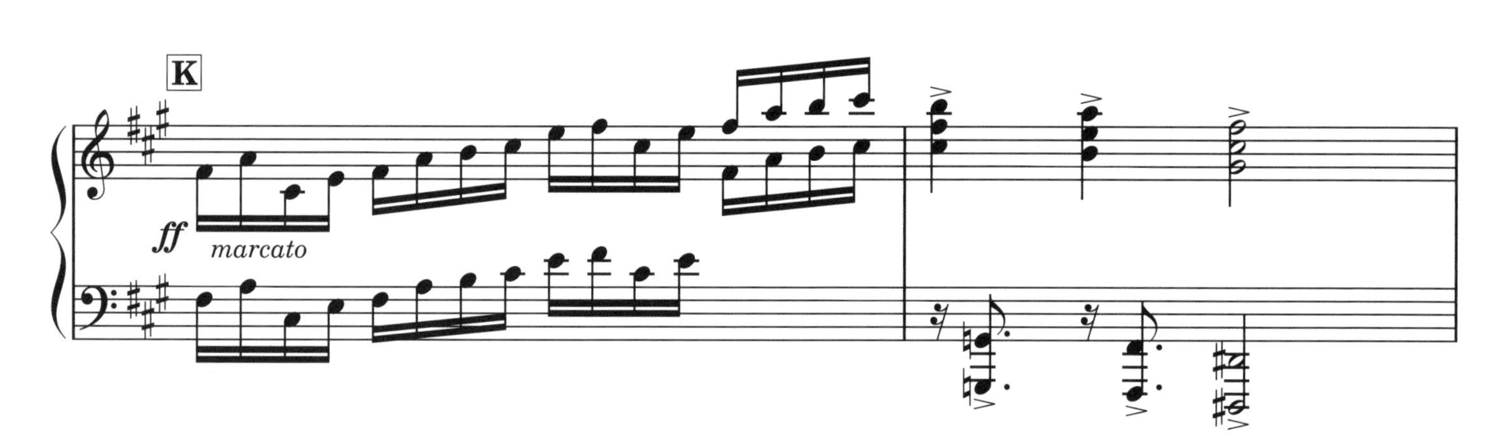
K
ff
marcato

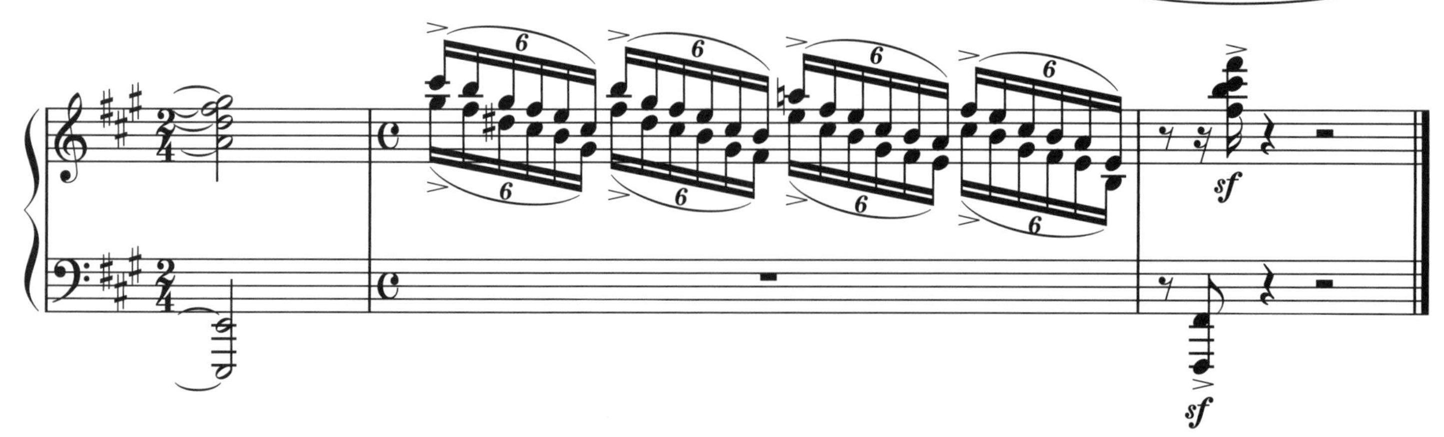
6
sf
sf

Legend

JOE HISAISHI

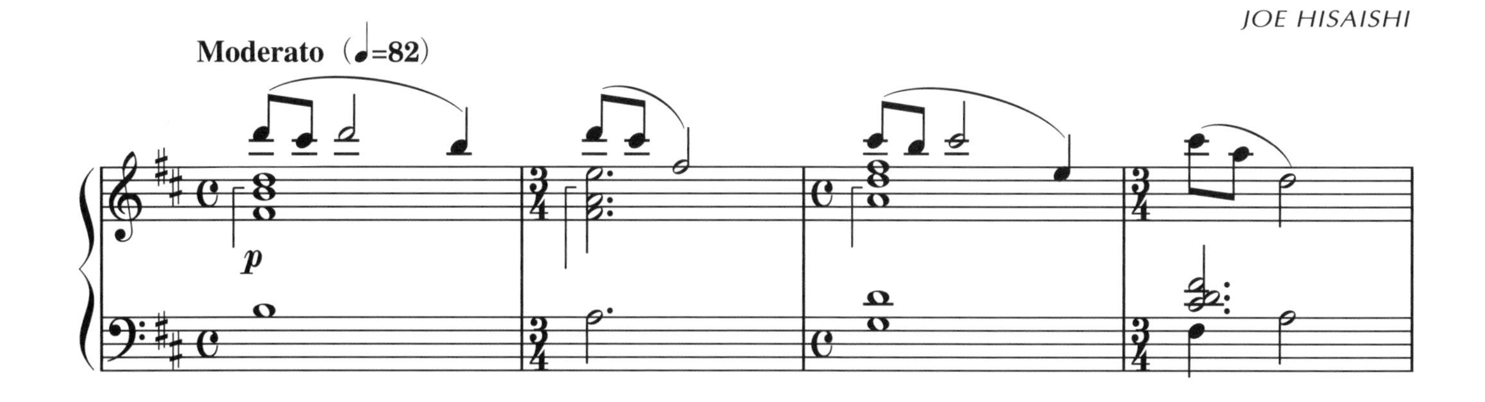

B
mf

3

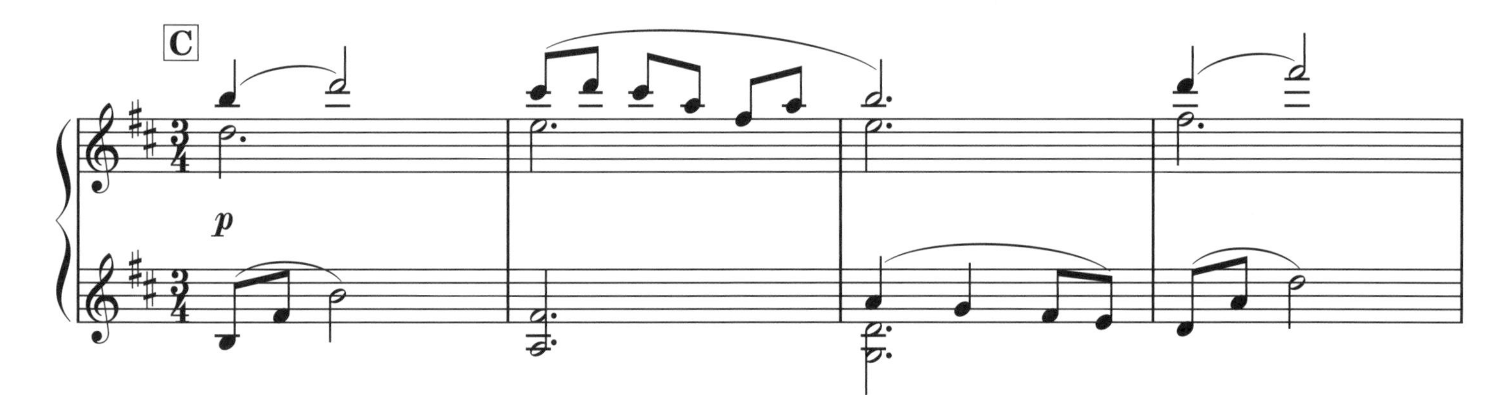
C
p

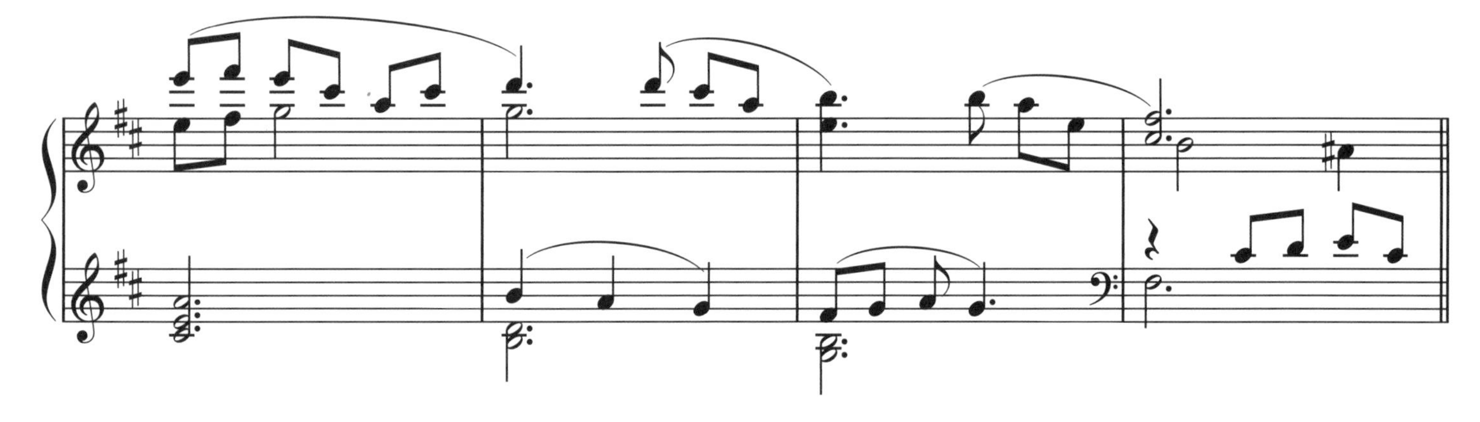

D

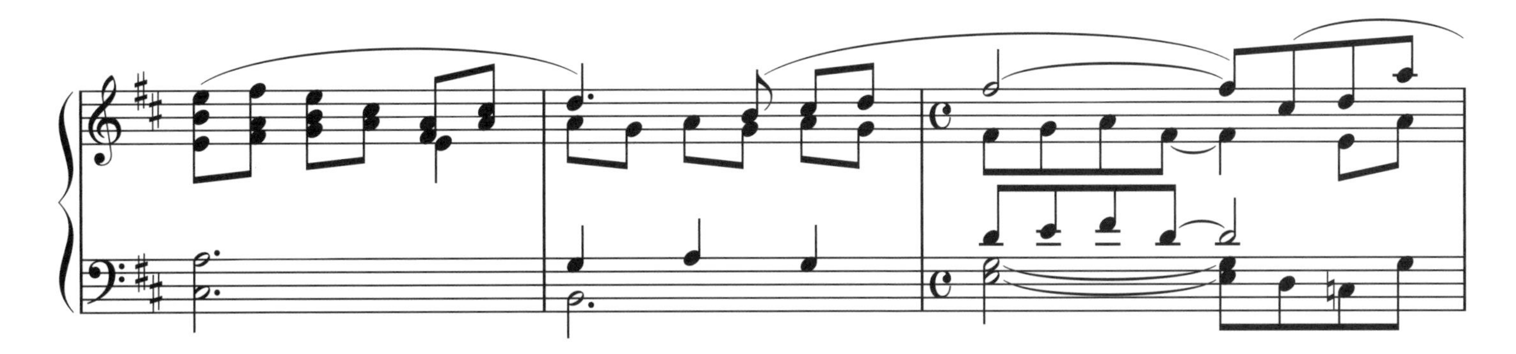

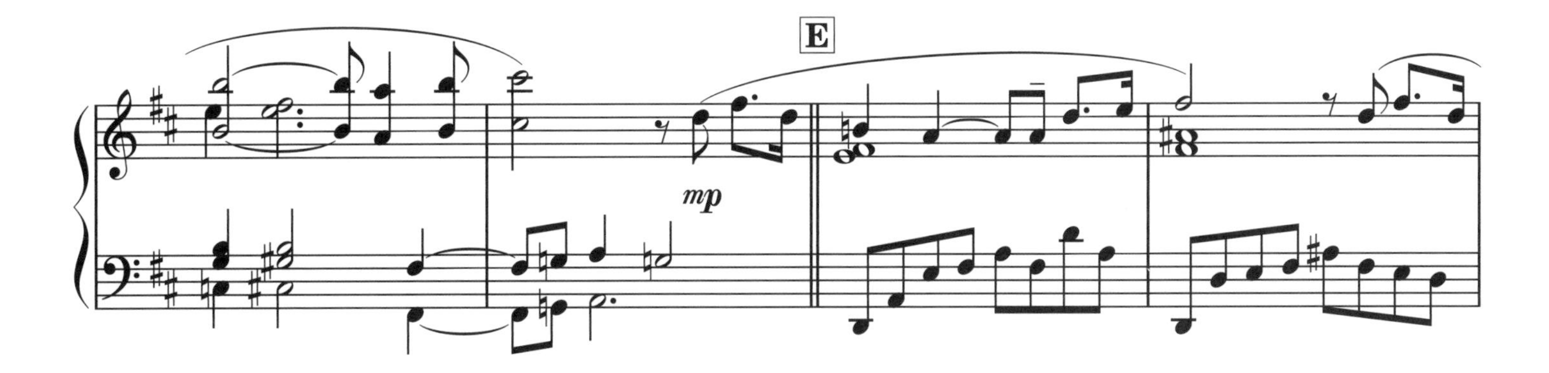
E
mp

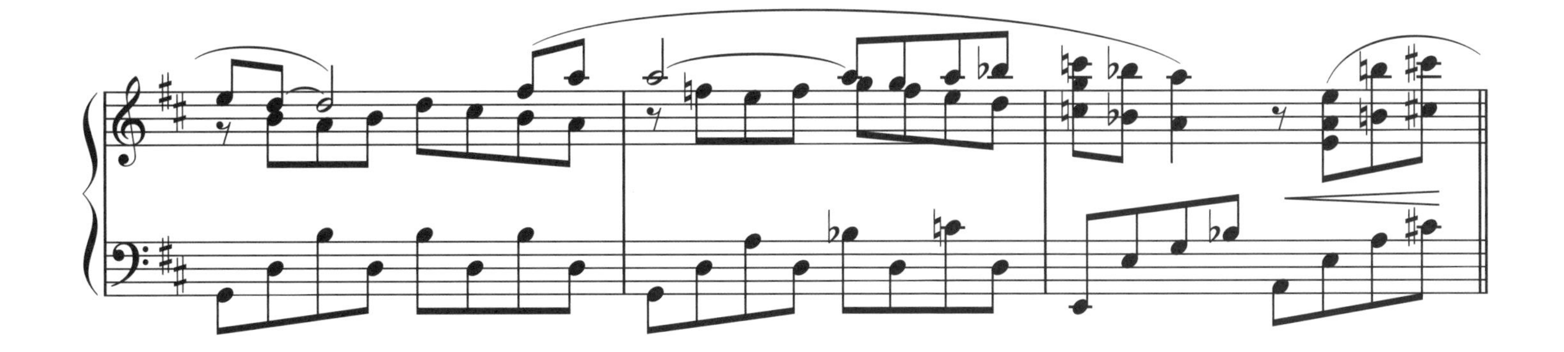

F
mf
3
3

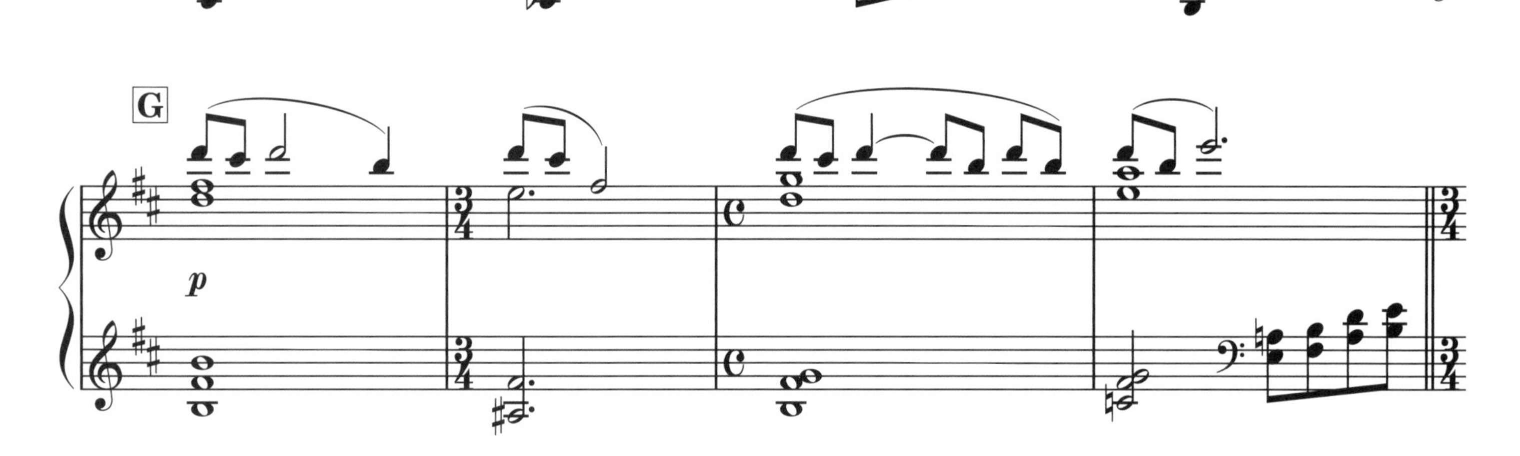
G
p

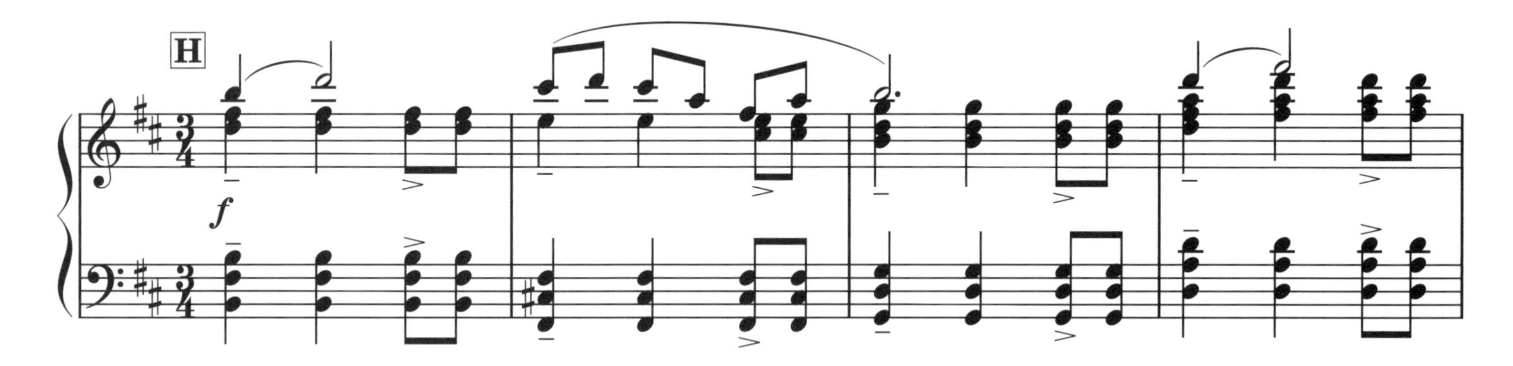
H
f

I
mf
mp

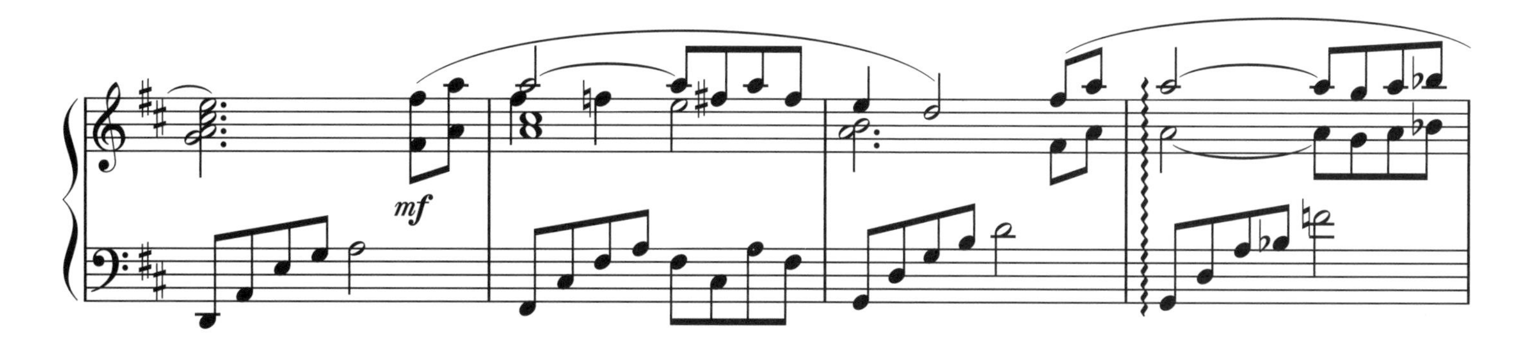
mf

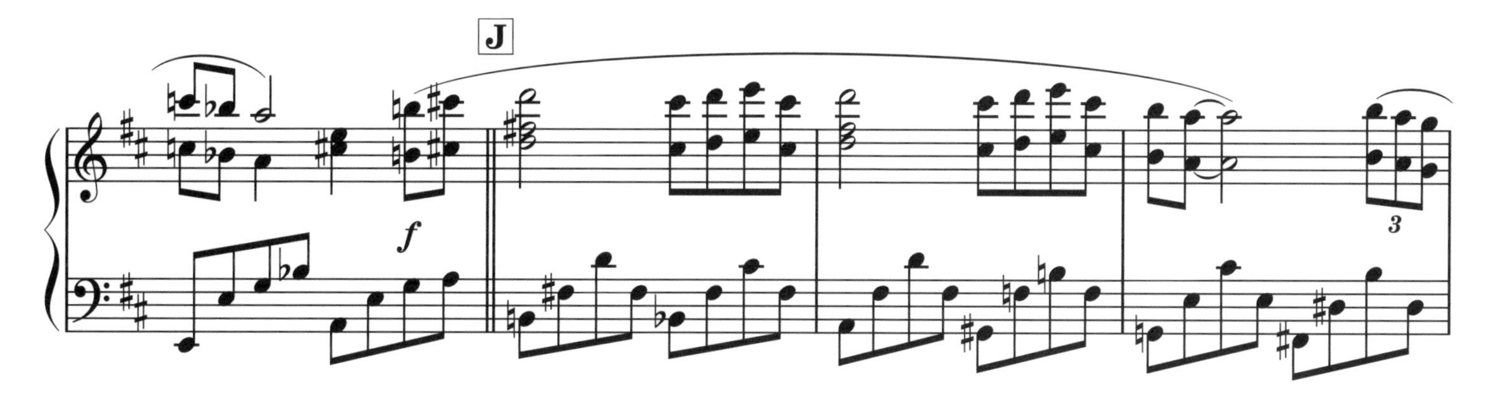
J
f
3

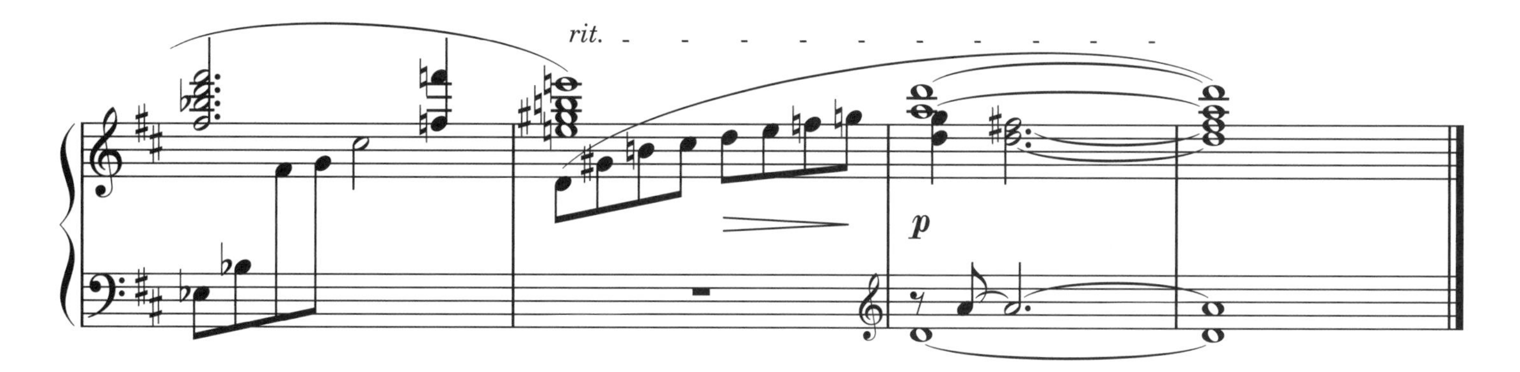
rit.
p

Lost Sheep on the bed

JOE HISAISHI

Andantino (♩=88)

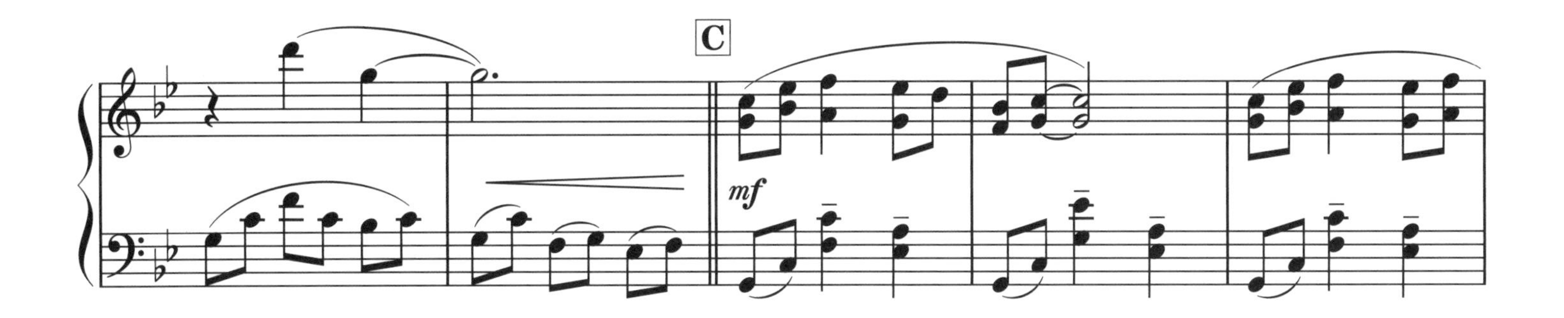
C
mf

D
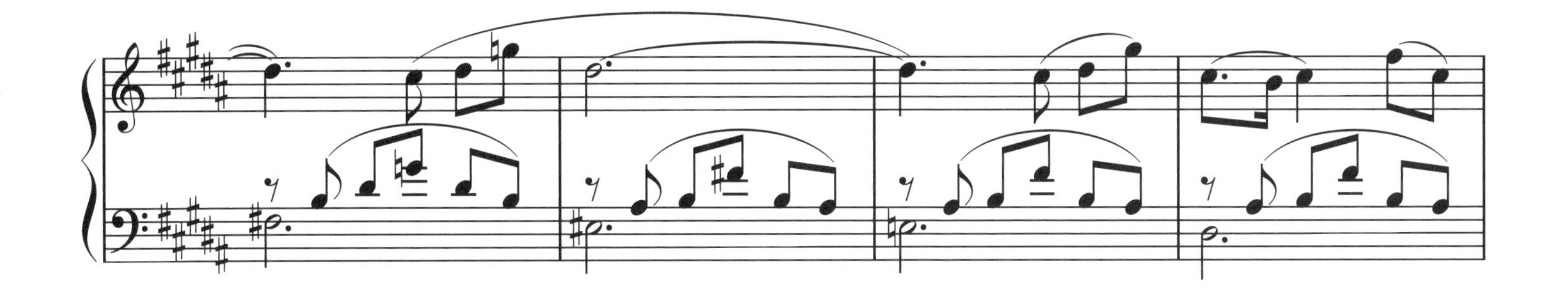

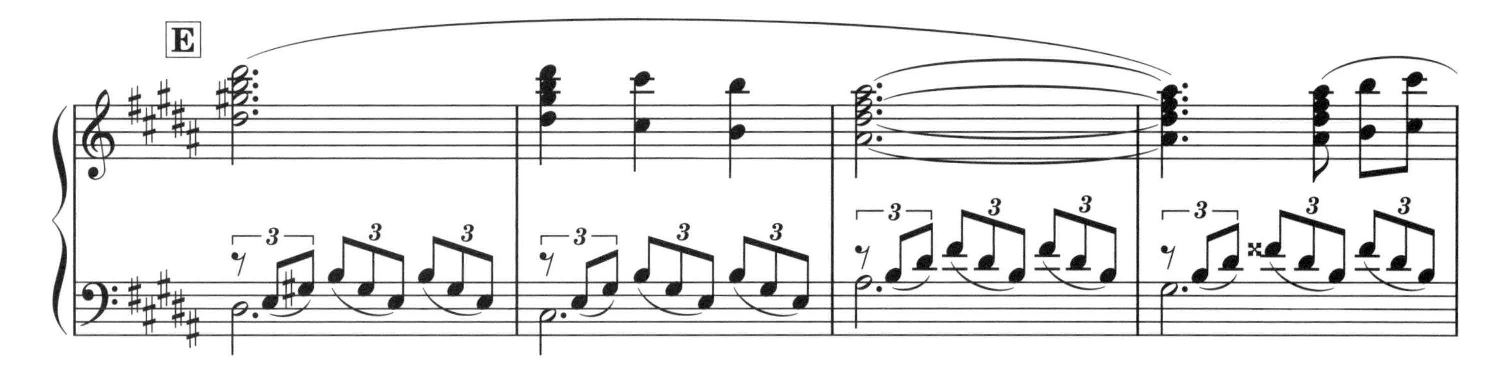
E

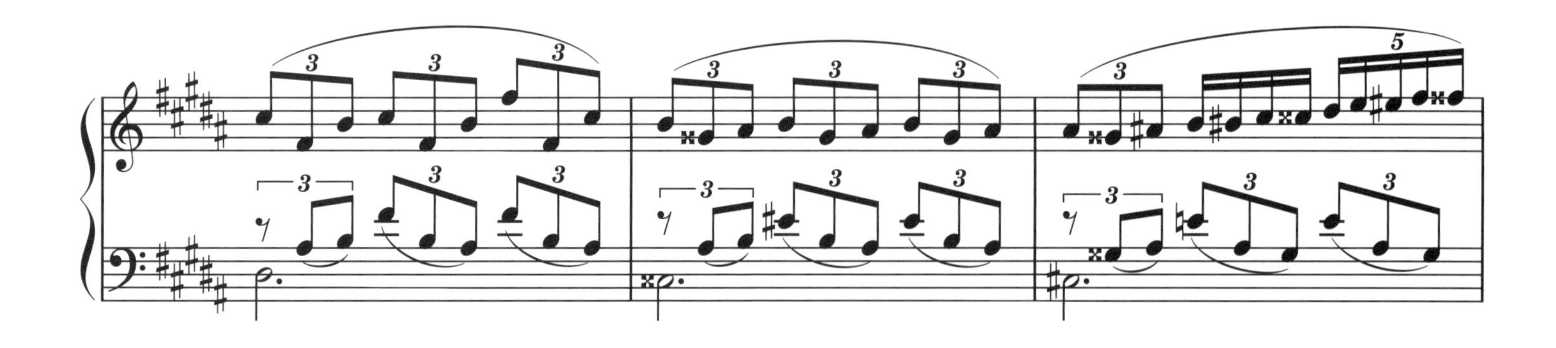

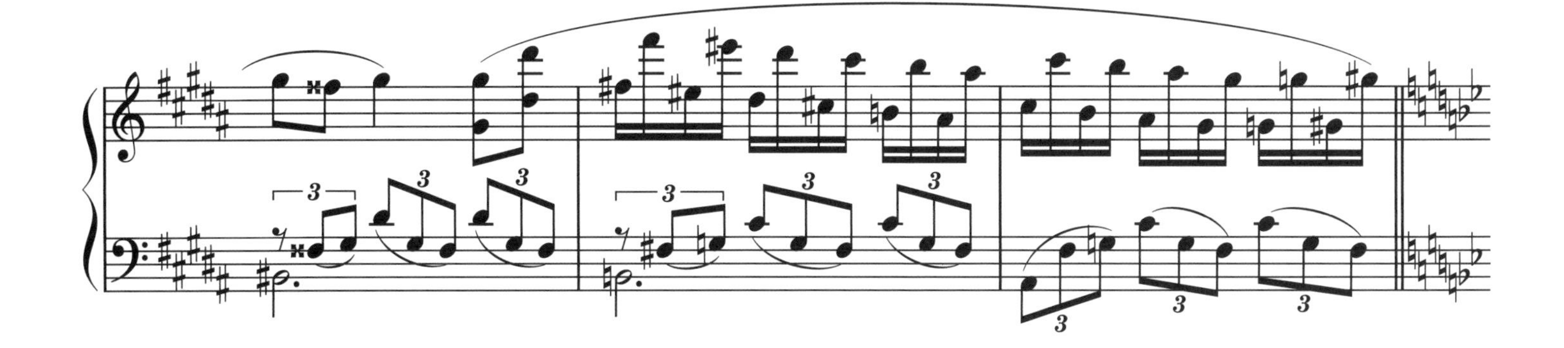

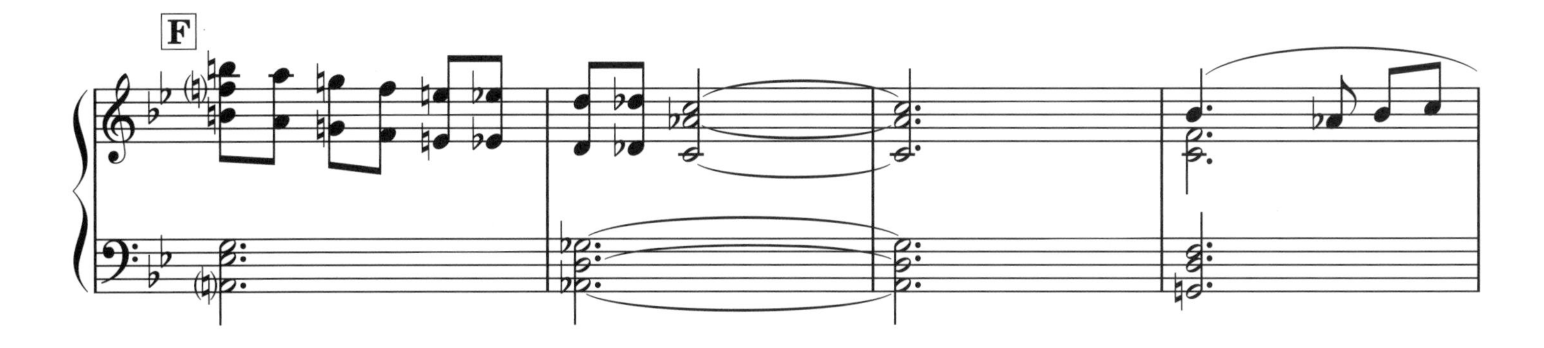
F

G
mp

H

I
mf

p
pp

Constriction

JOE HISAISHI

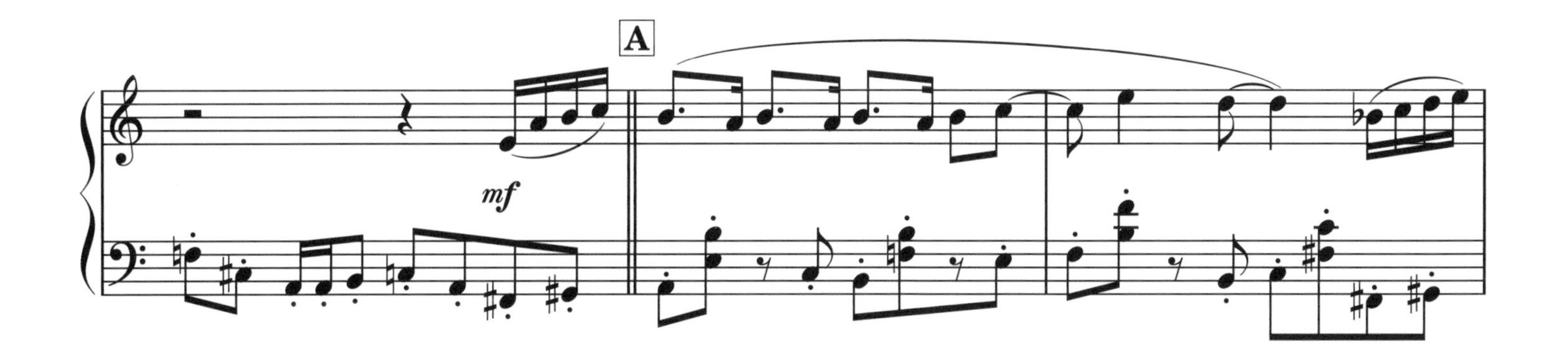

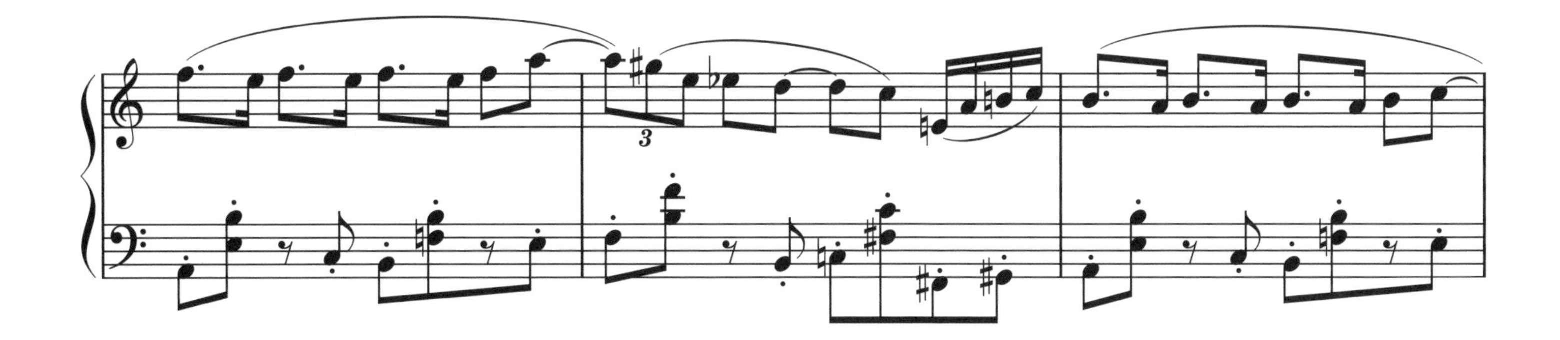

B
mf

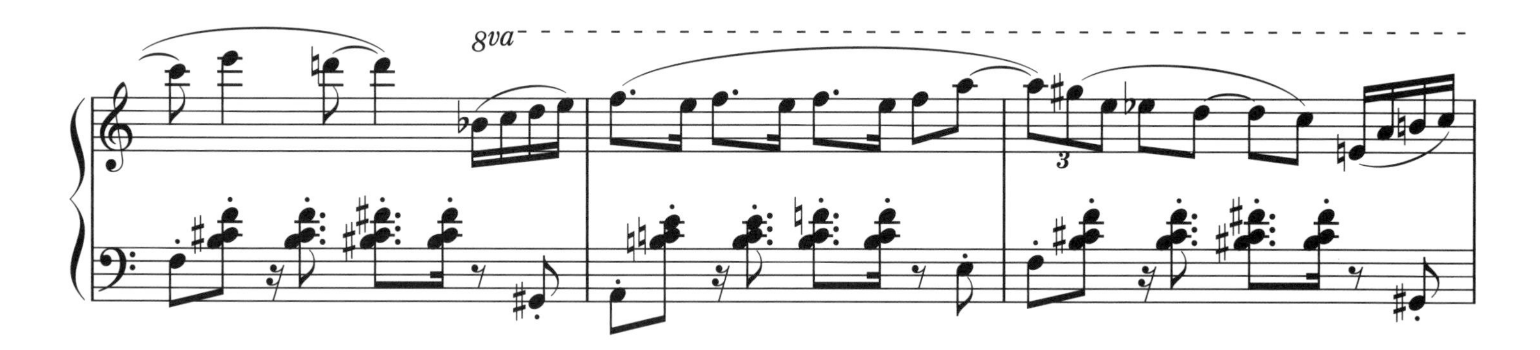
8va
3

(8va)

(8va)
f

C
8va

(8va)

D
f
ff

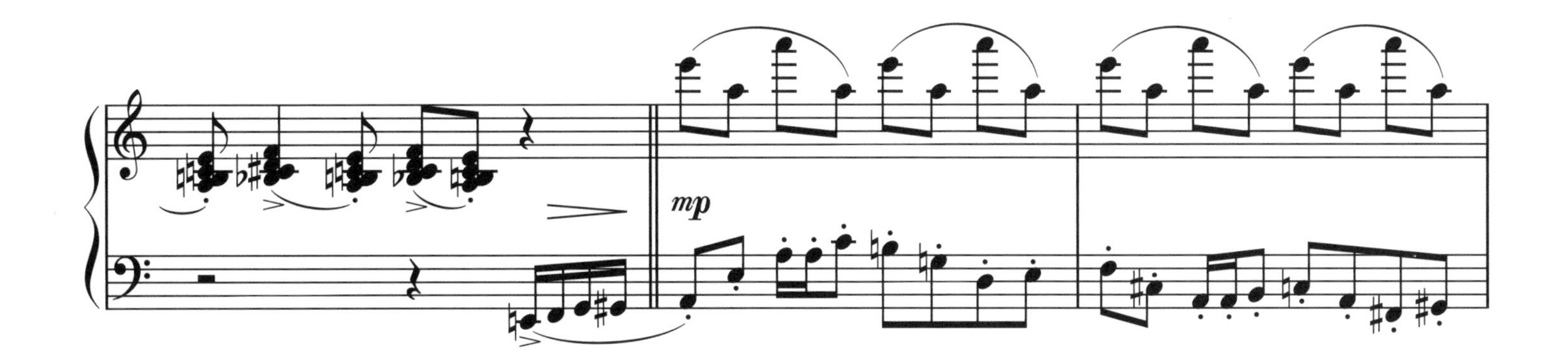
mp

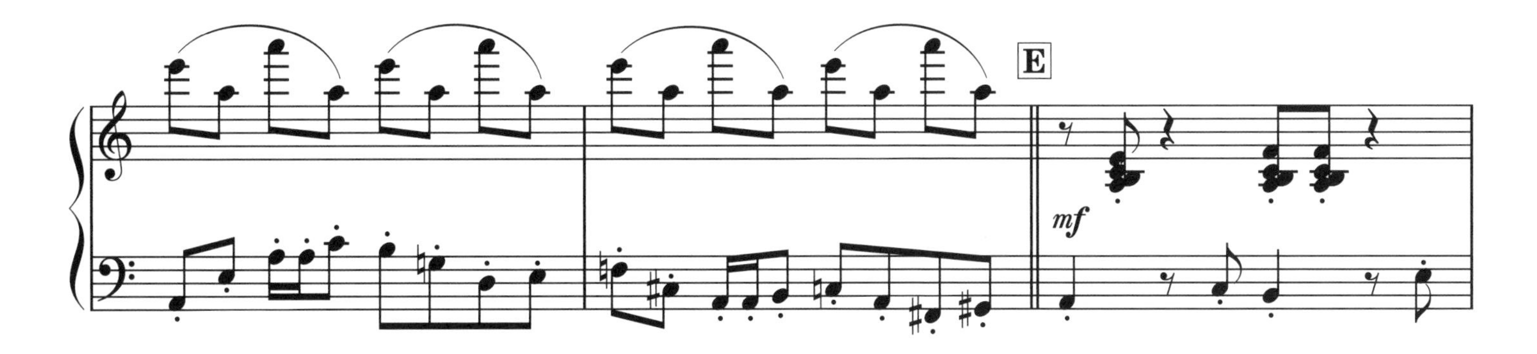
E
mf

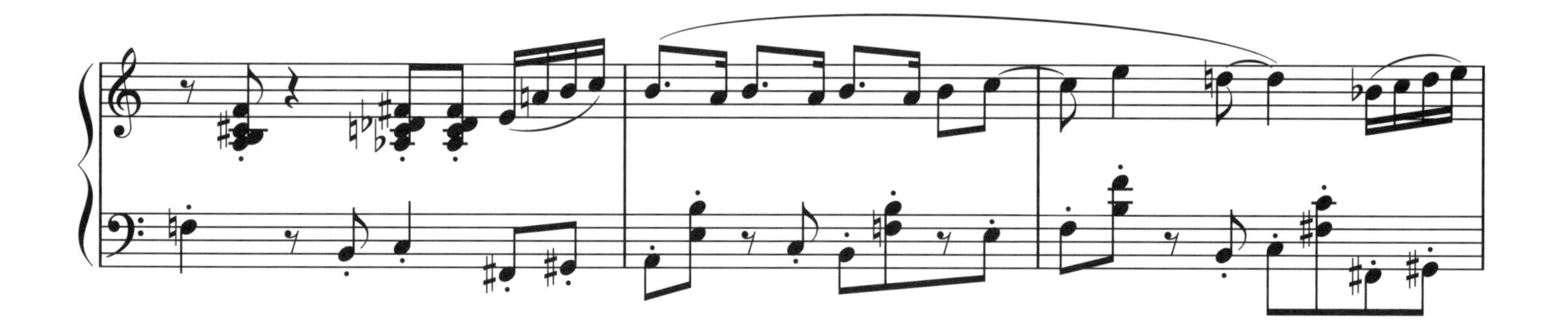

3

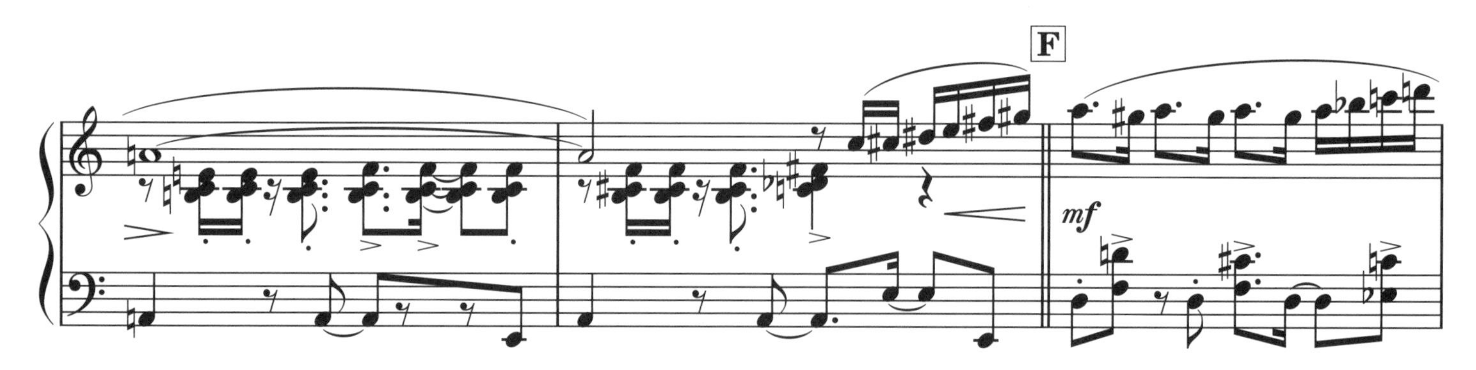
F
mf

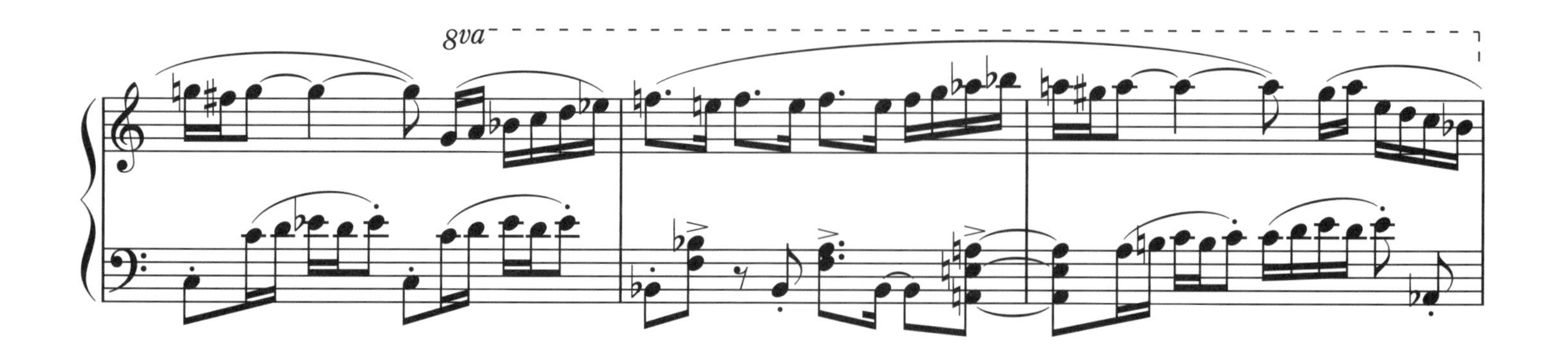
8va

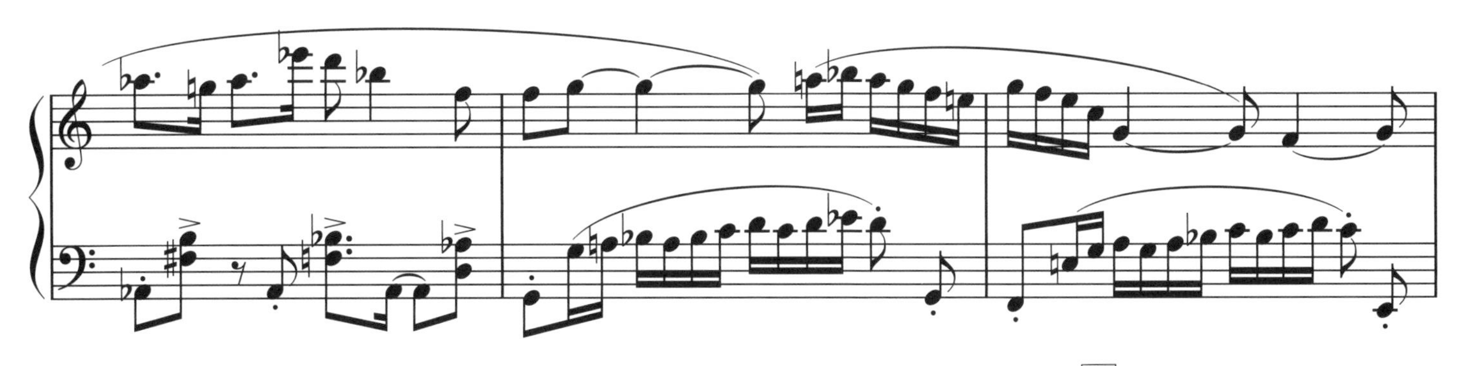

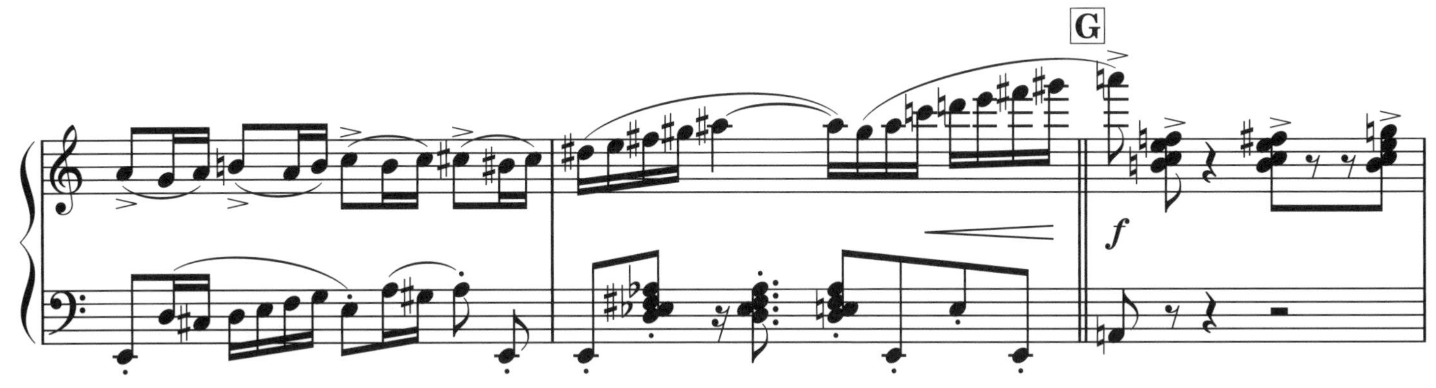
G
f

ff
mf

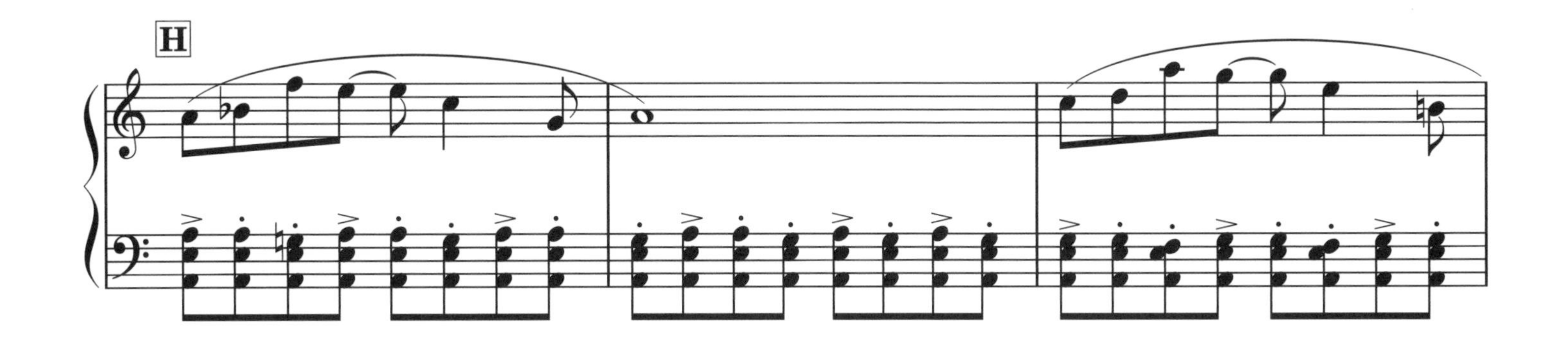
H

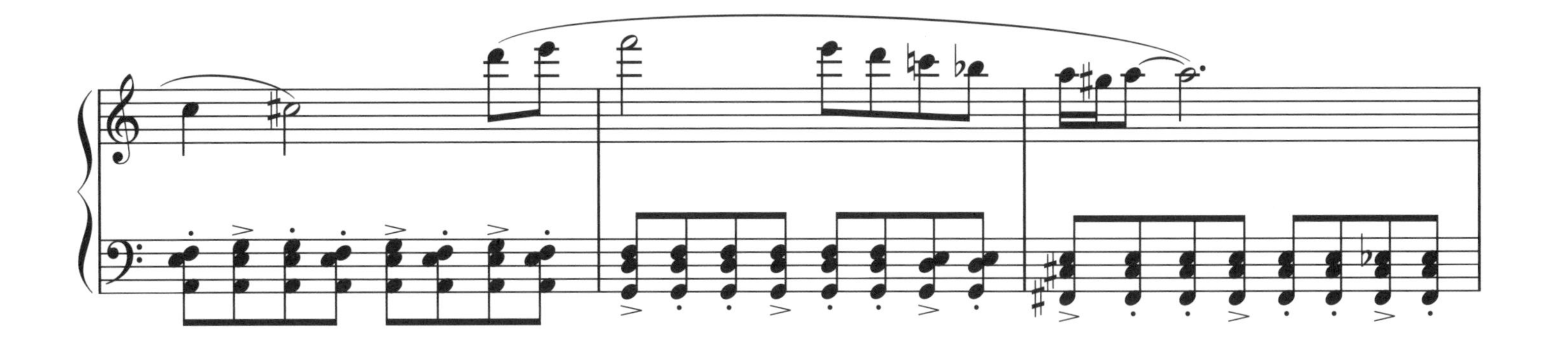

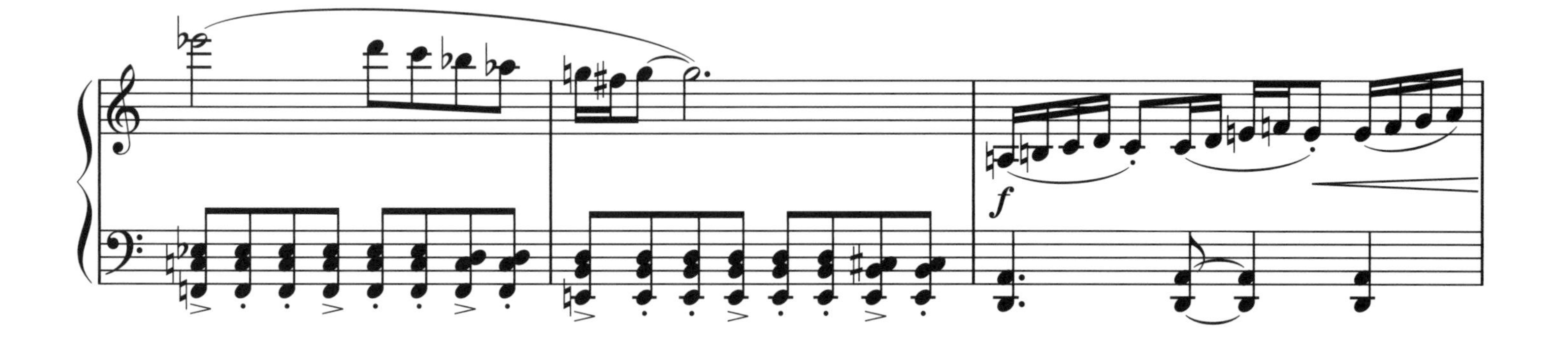
f

I
ff marcato
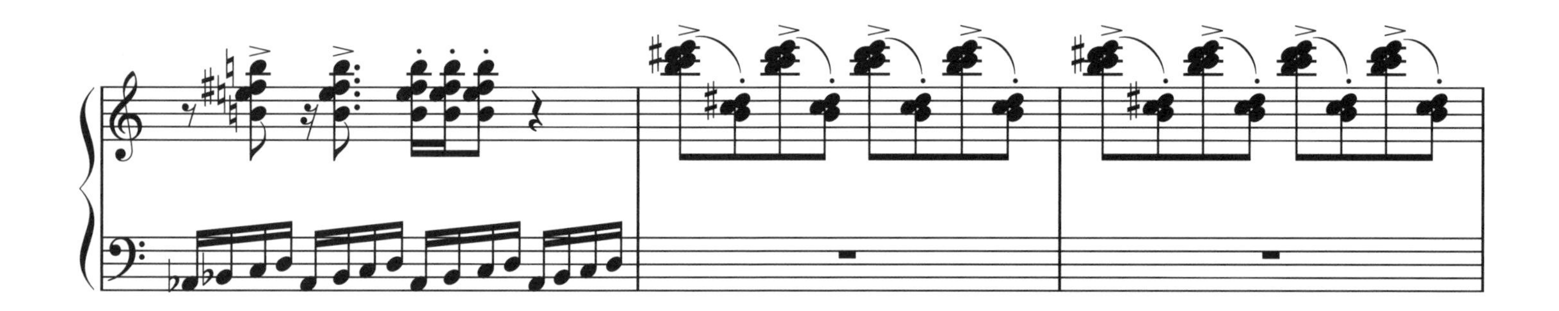

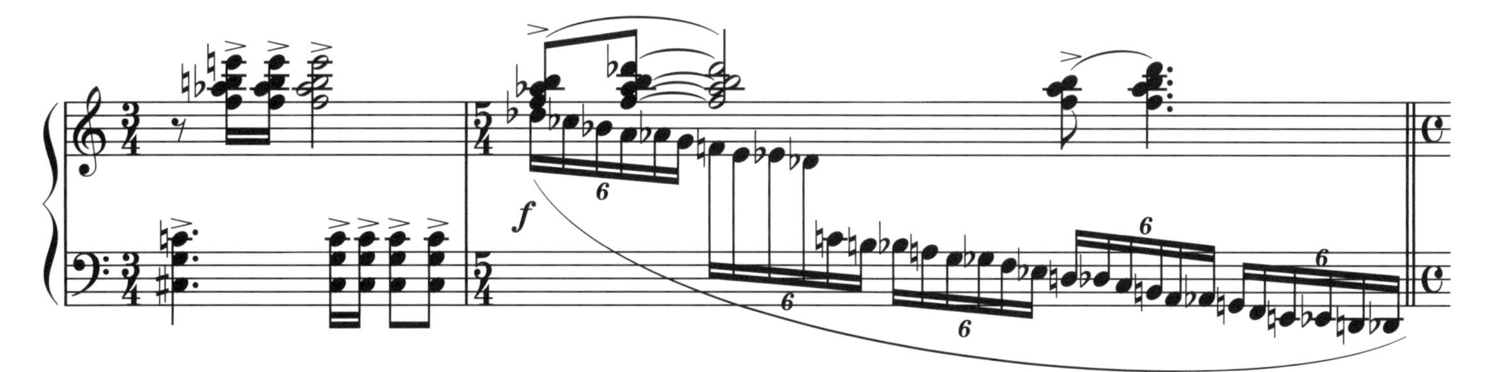
f

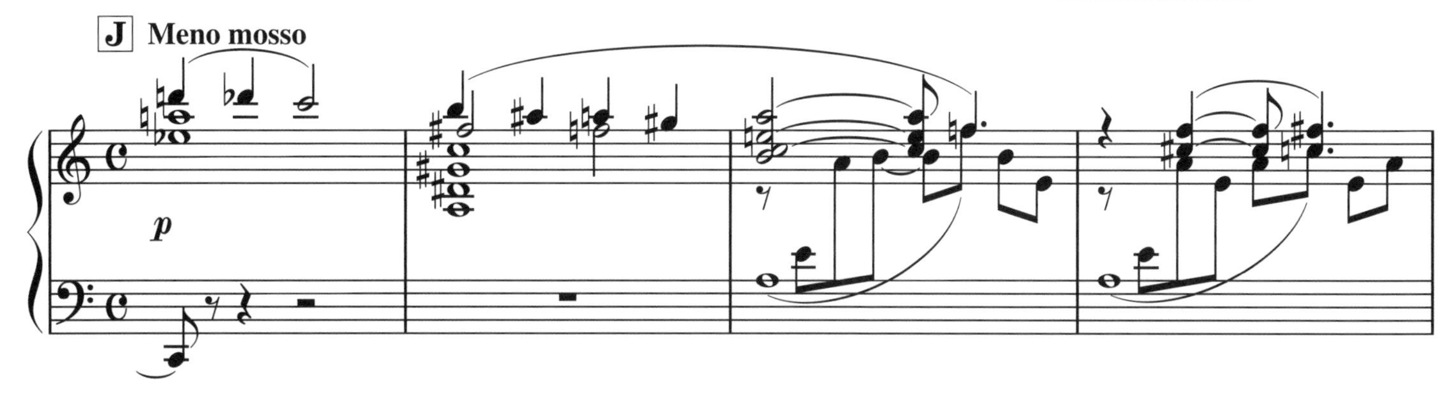
J
Meno mosso
p

K
mp

L
Tempo I
ff
mf

M
8va

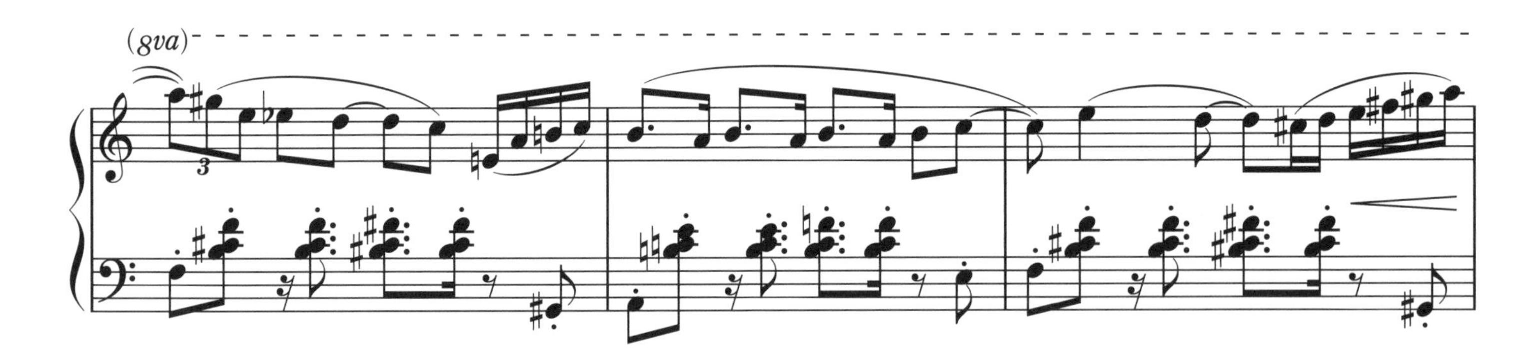
(8va)
3

(8va)

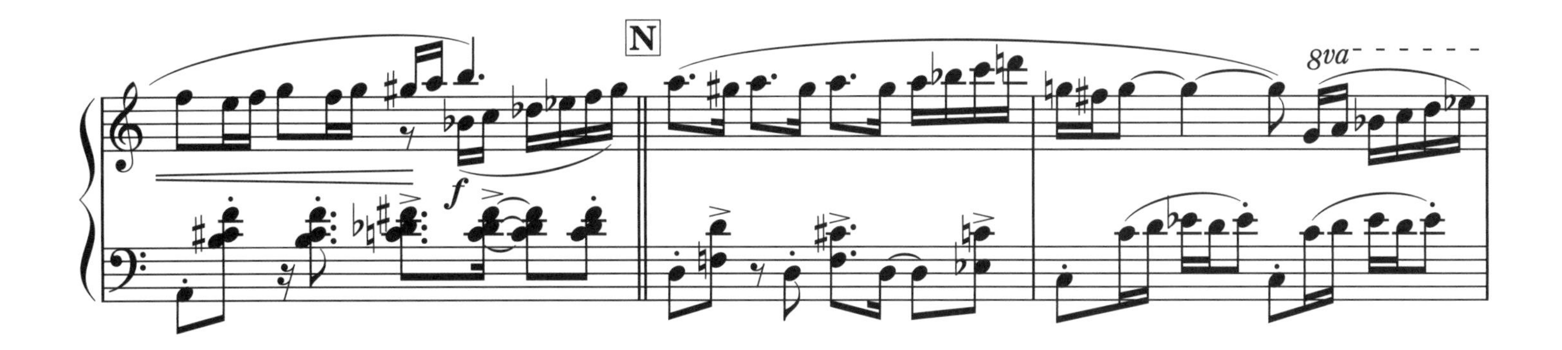
N
8va
f

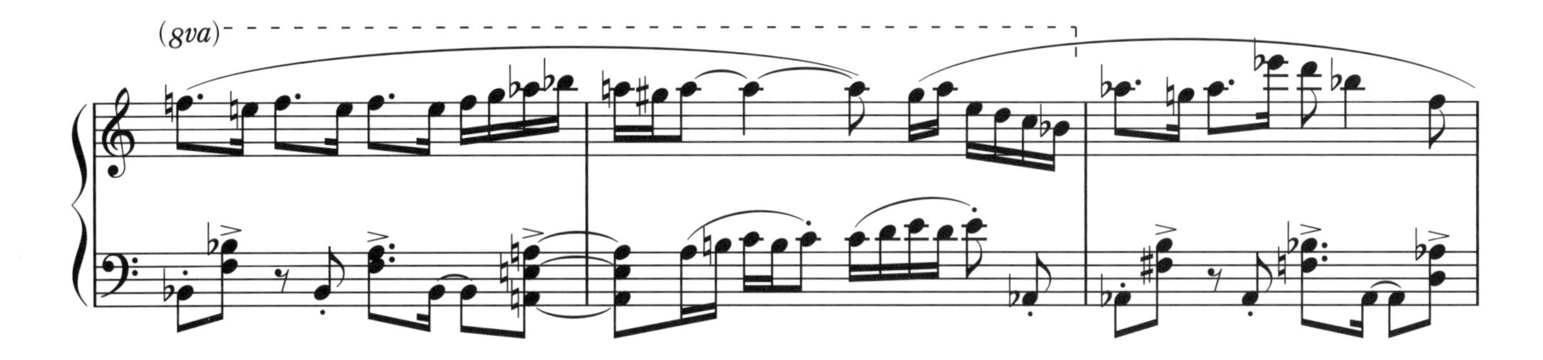
(8va)

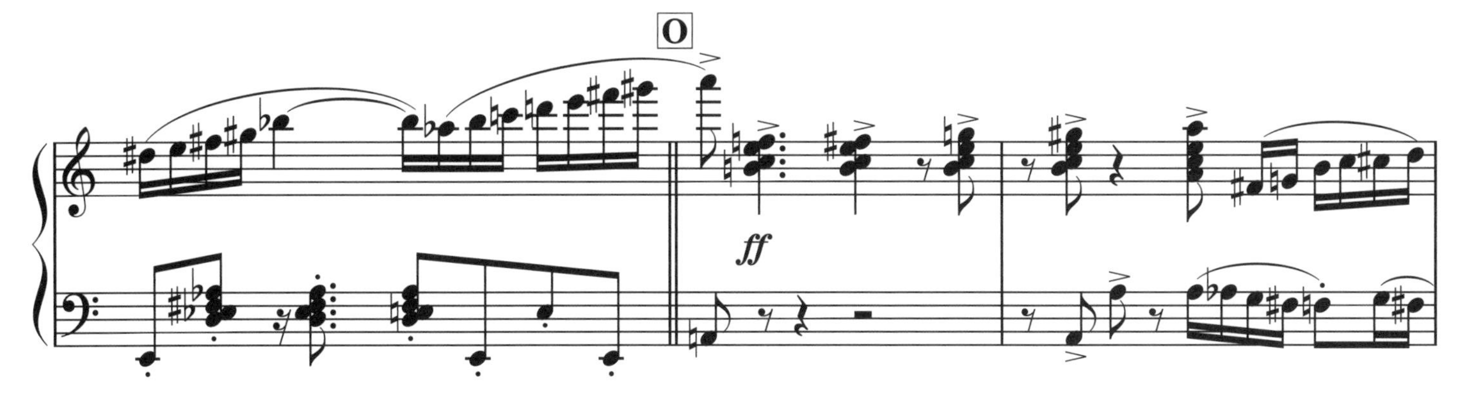
O
ff

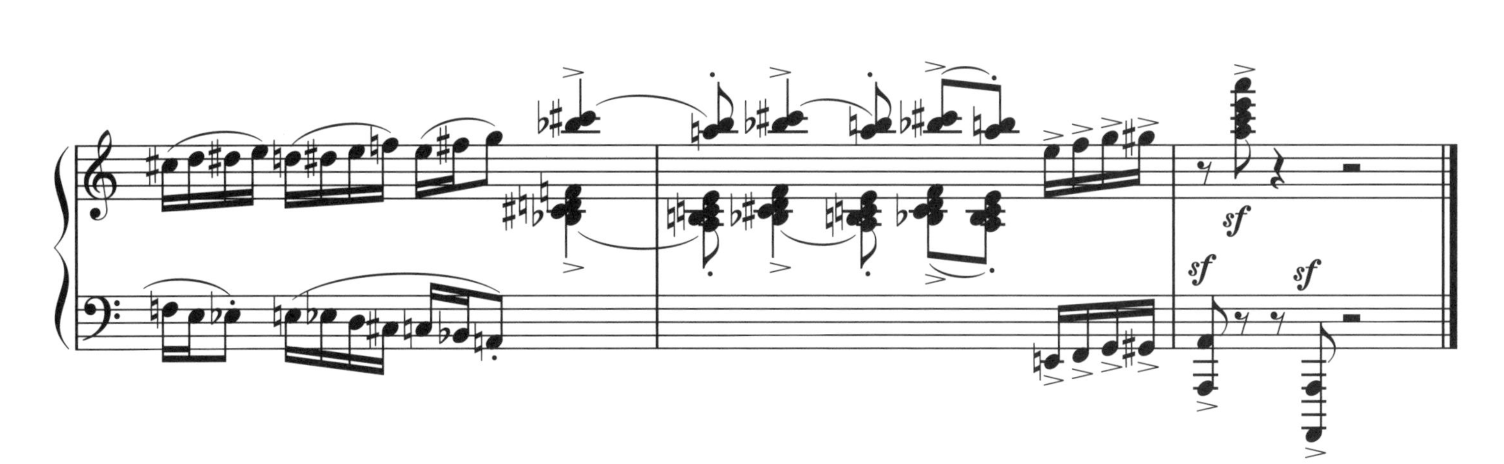
sf
sf
sf

Birthday

JOE HISAISHI

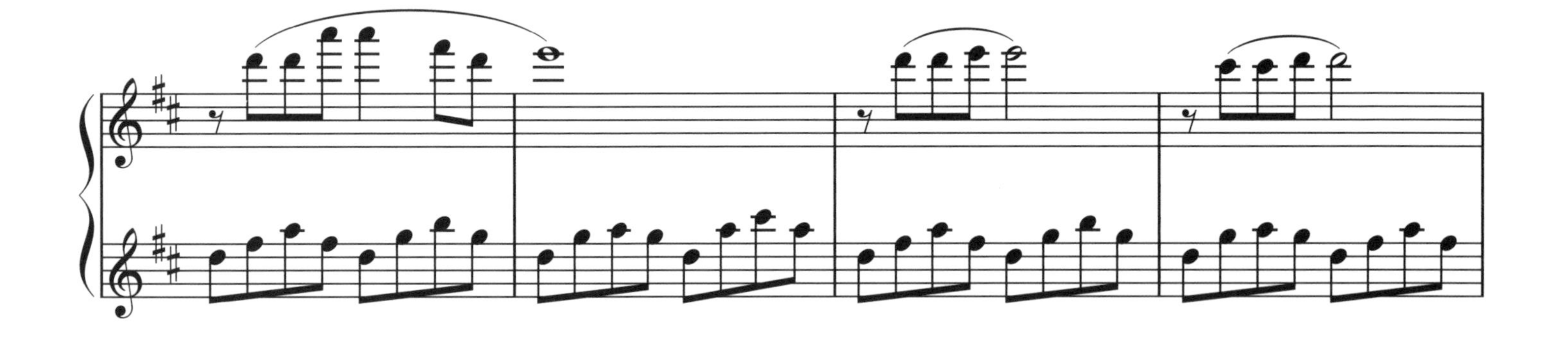

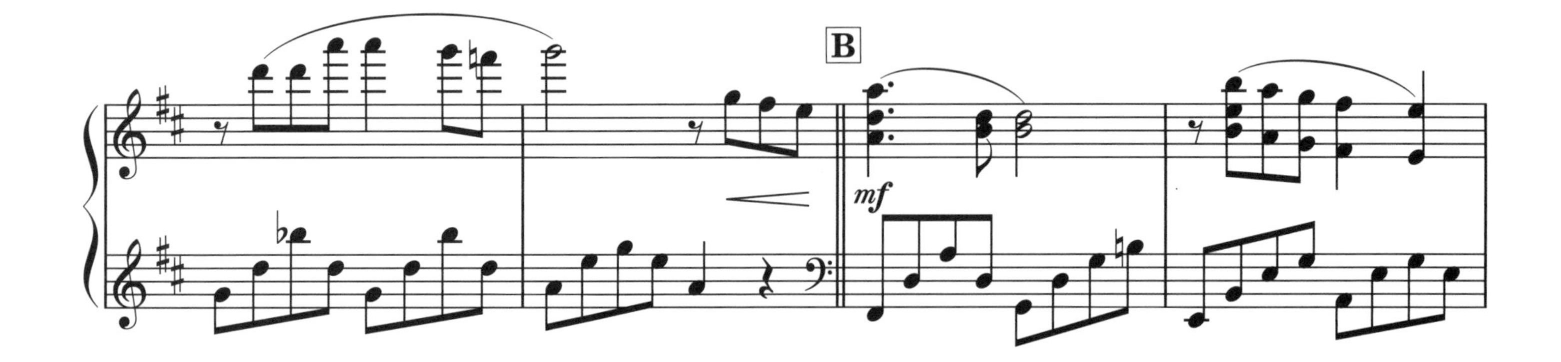

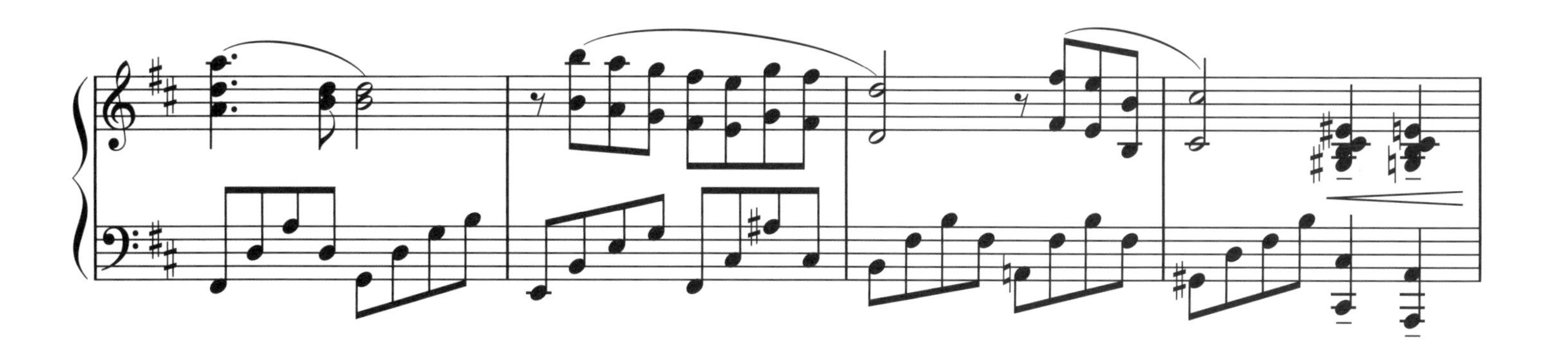

C
mf

3

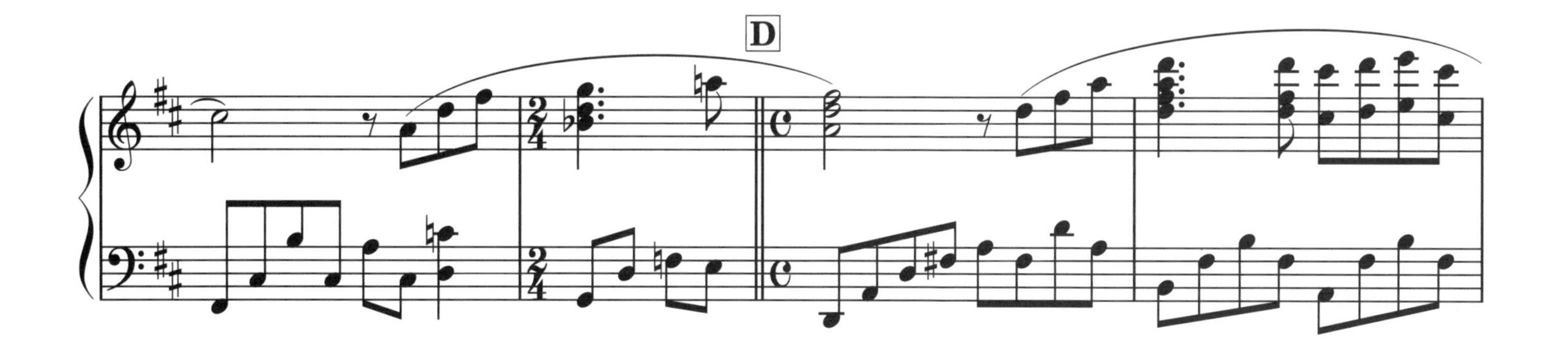
D

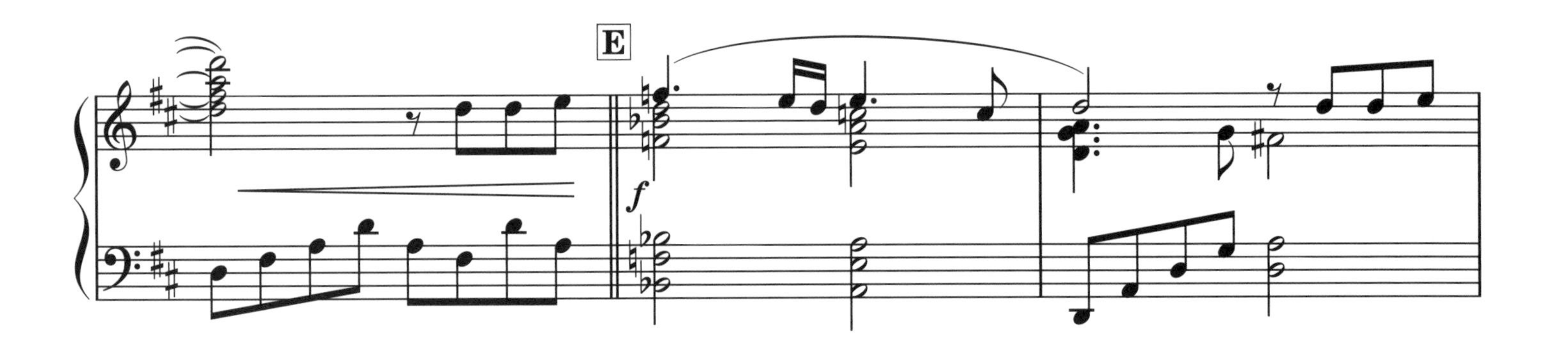
E
f

rit.
F
a tempo
8va
p

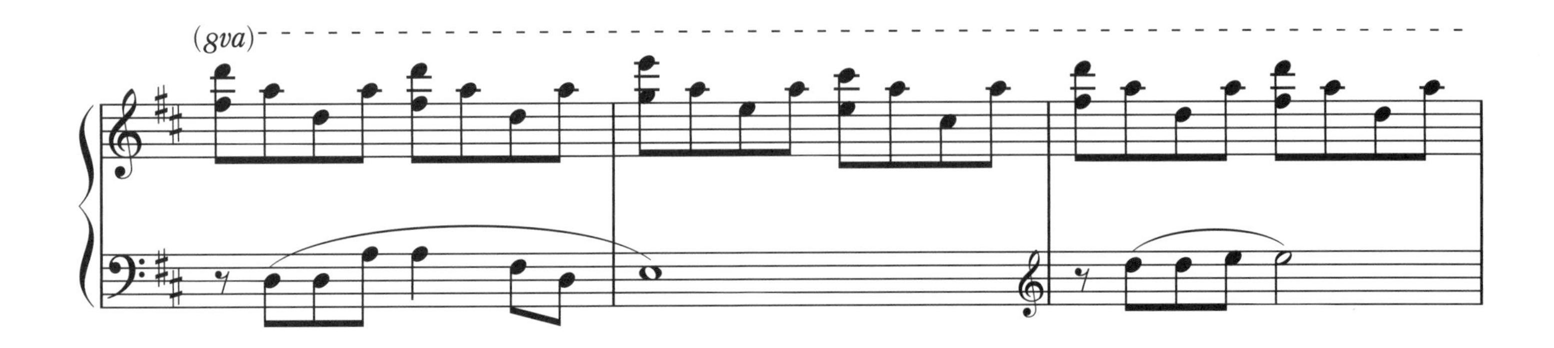
(8va)

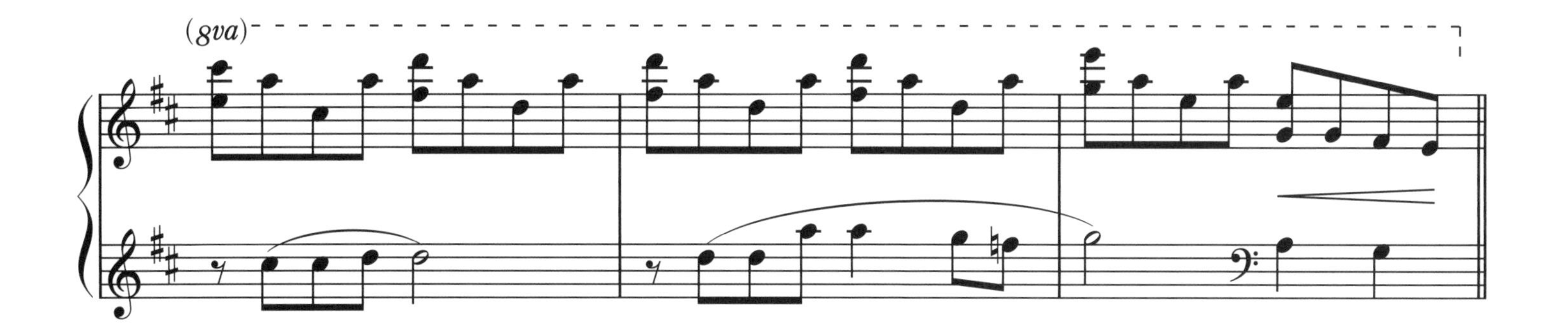
(8va)

G
mf

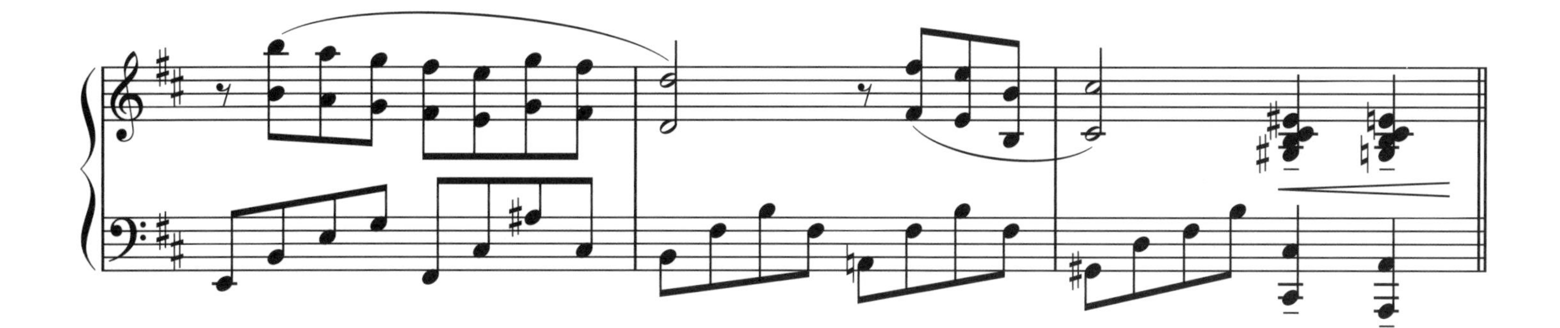

H
mf

3

I

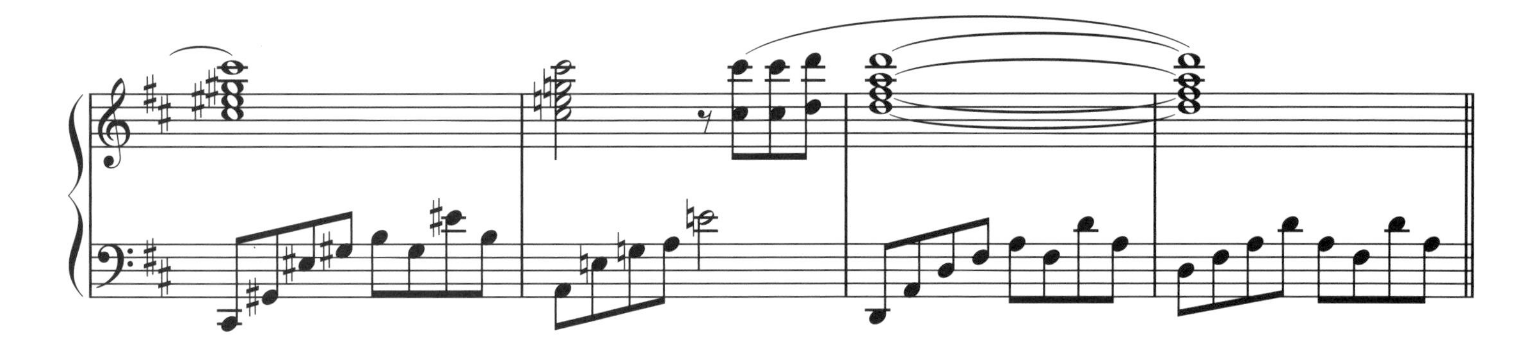

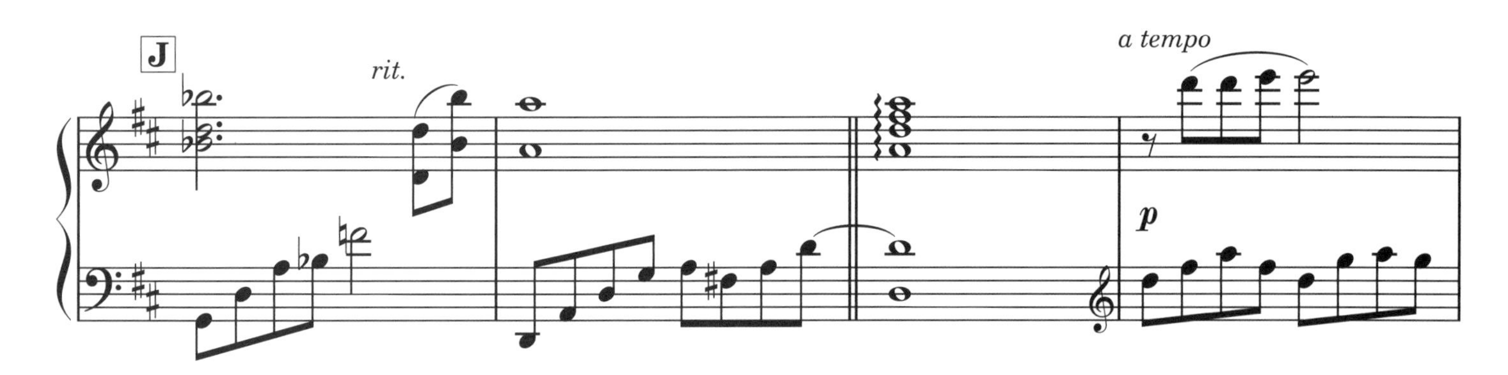
J
rit.
a tempo
p

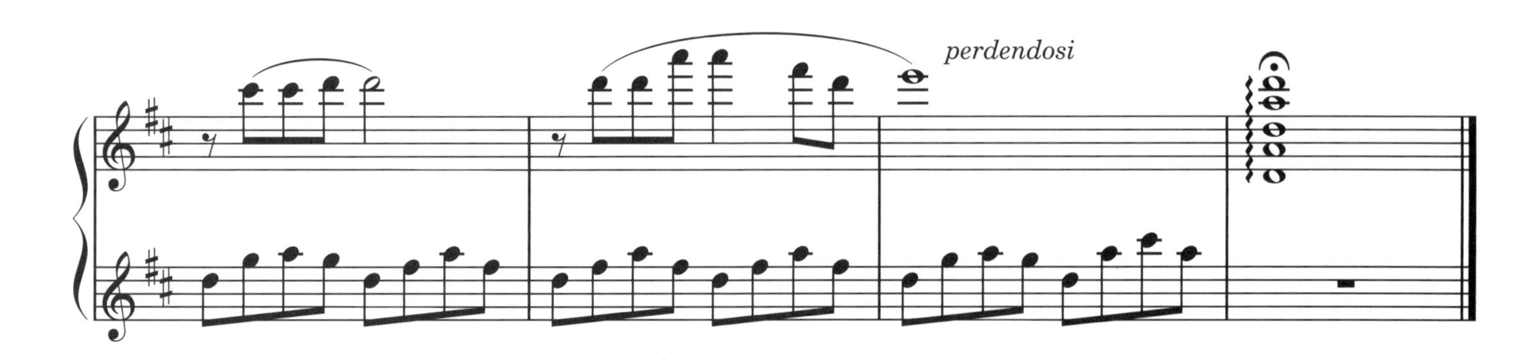
perdendosi

JOE
HISAISHI
FREEDOM

Oriental Wind

サントリー緑茶“伊右衛門”CMヴァージョン

JOE HISAISHI

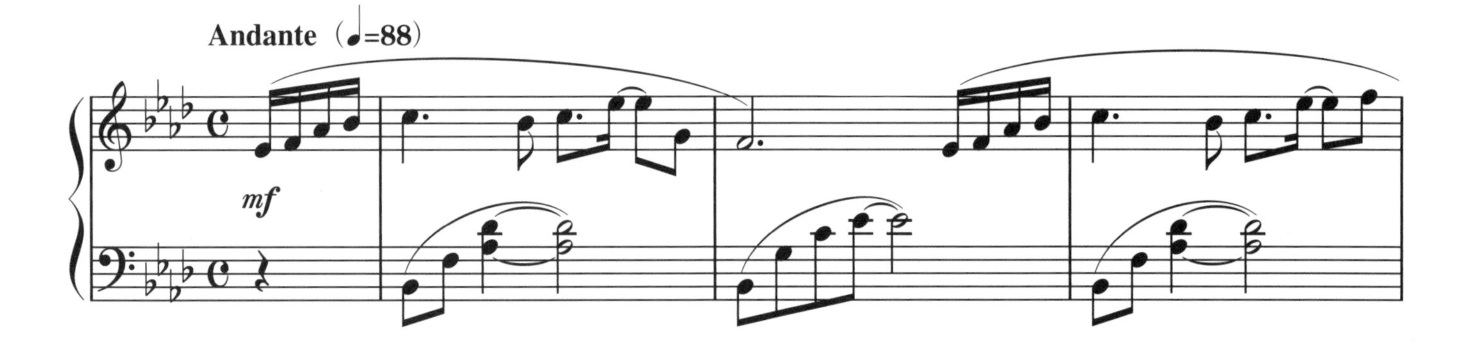

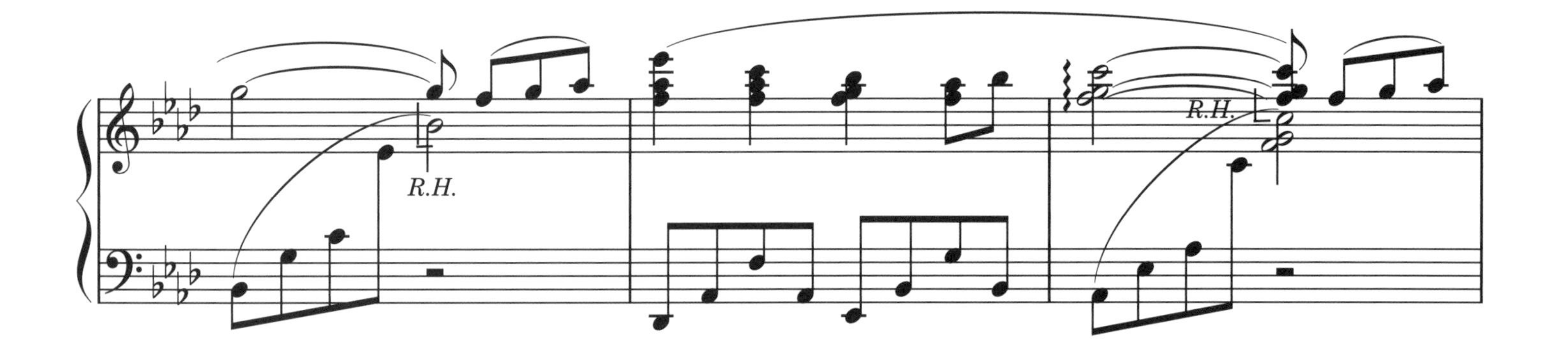

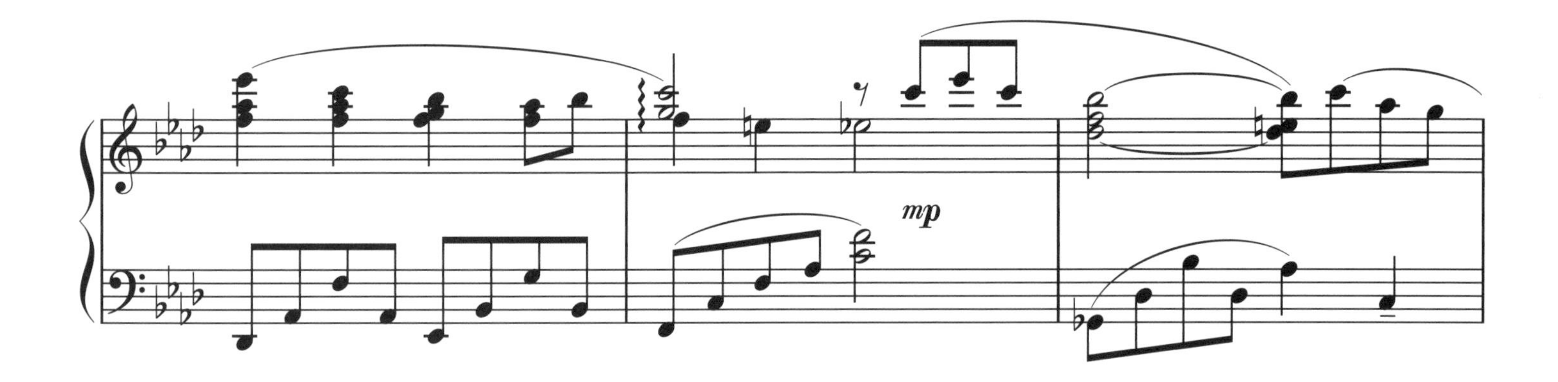

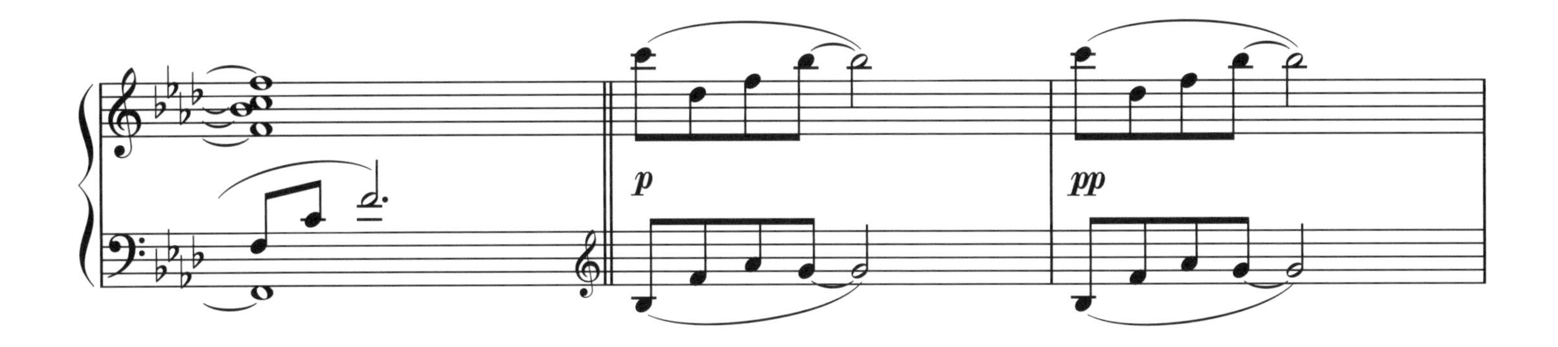
p
pp

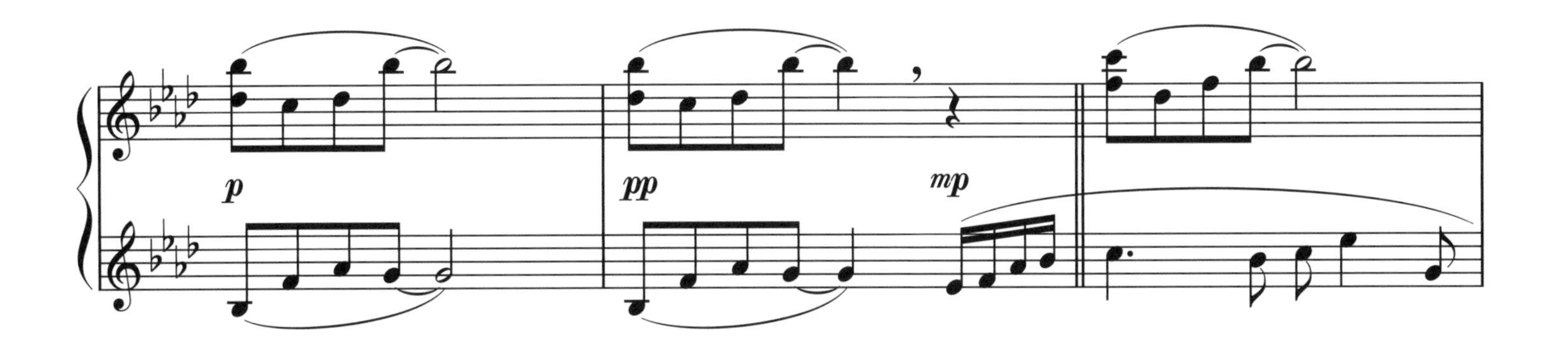
p
pp
mp

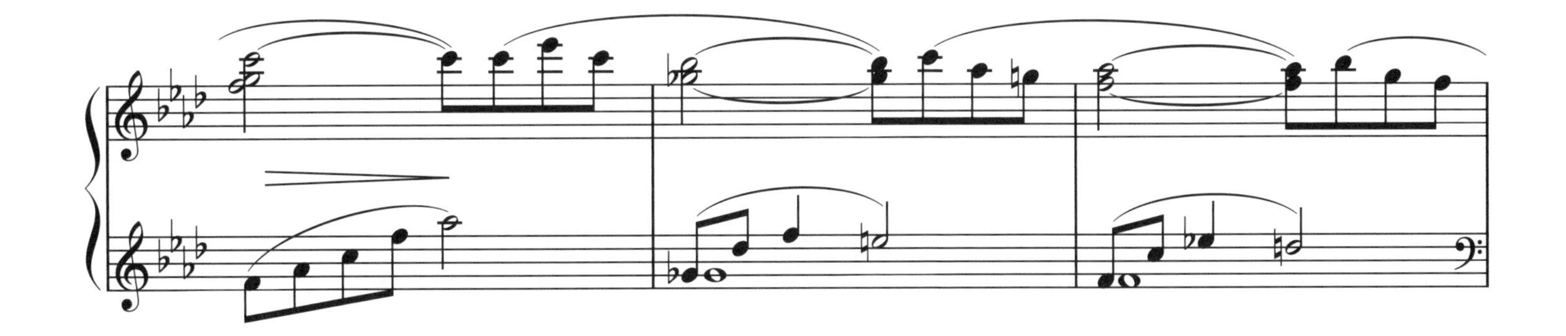

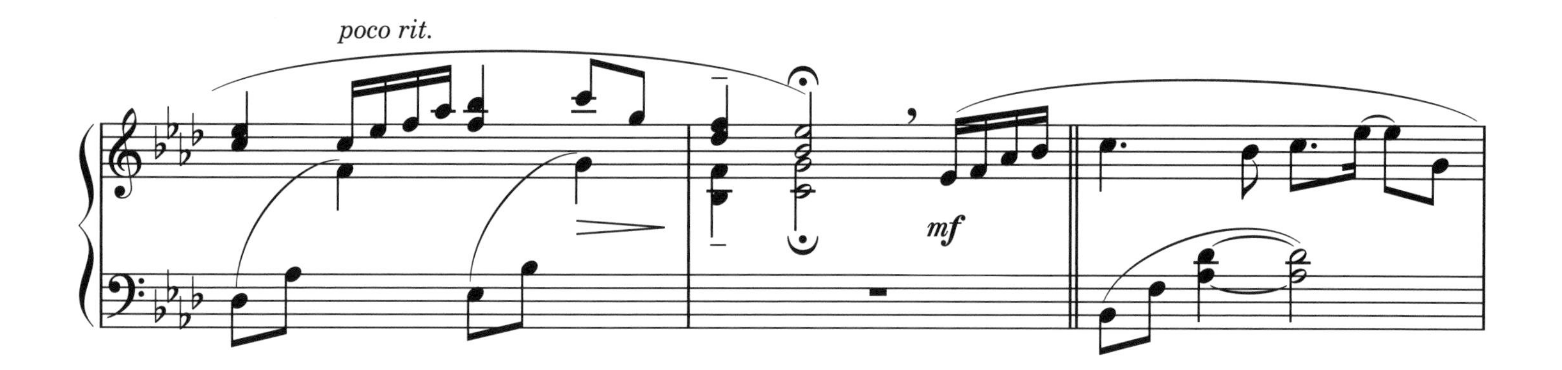
poco rit.
mf
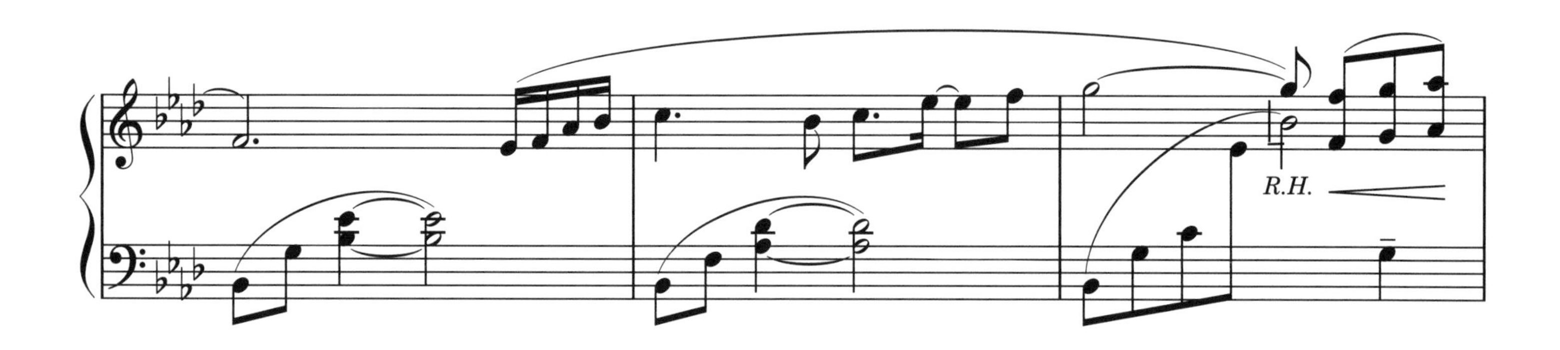
R.H.
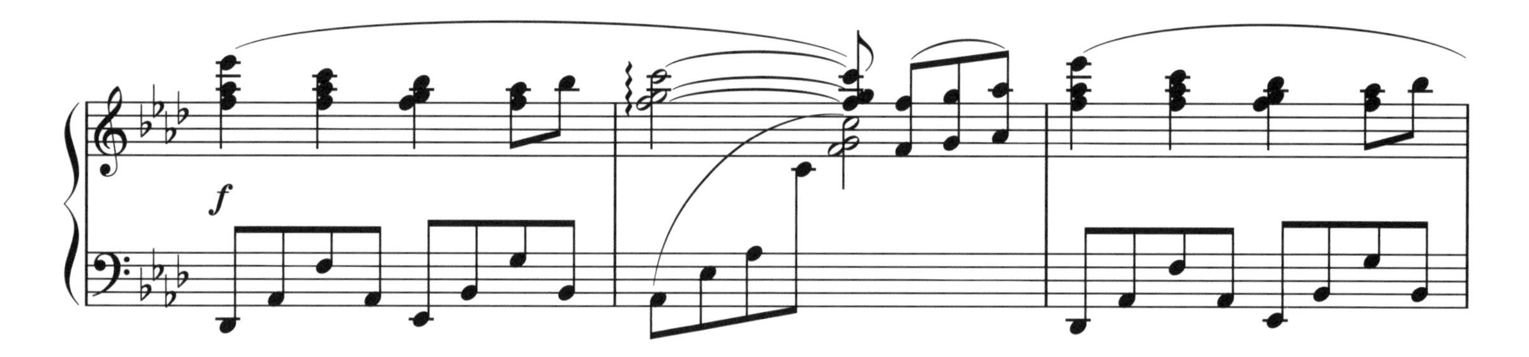
f
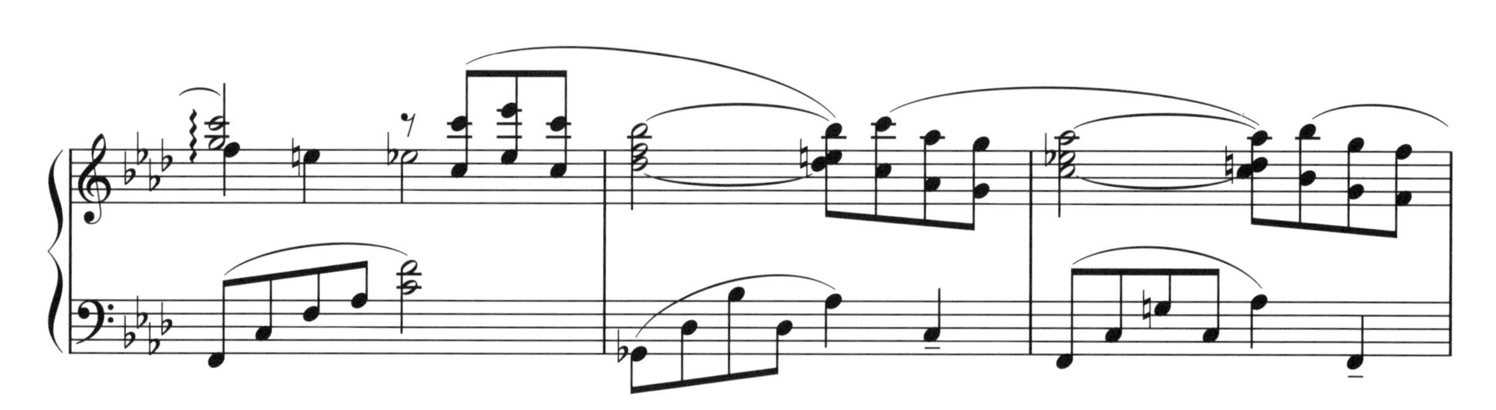

rall.

CD「FREEDOM」はユニバーサルミュージックより発売されています。［UPCI-1014］

23110119

日本音楽著作権協会（JASRAC）（出）許諾第0708963-313号
（許諾番号の対象は、当該出版物中、当協会が許諾することのできる著作物に限られます。）

久石譲：FREEDOM ●

作曲 ―― 久石 譲
監修 ―― 株式会社ワンダーシティ
制作協力 ―― 足本憲治
第1版第1刷発行 ―― 2007年8月15日
第1版第13刷発行 ―― 2023年12月15日
発行 ―― 株式会社全音楽譜出版社
―― 東京都新宿区上落合2丁目13番3号〒161-0034
―― TEL-営業部 03·3227-6270
出版部 03·3227-6280
―― URL http://www.zen-on.co.jp/
―― ISBN978-4-11-179014-2

久石 譲 オリジナルエディション

発行：全音楽譜出版社

ピアノ・ストーリーズ

菊倍判／56頁／ISBN978-4-11-179010-4

心をしめつけるあの音楽が甦る。久石譲初のピアノソロ作品集。
「風の谷のナウシカ」や「となりのトトロ」等、お馴染みの曲を久石譲本人がピアノソロ用にかいた完全なオリジナル楽譜。比類なきメロディライン。久石譲の原点がここにある。
〈曲目〉サマーズ・デイ／レスフィーナ（「アリオン」から）／Wの悲劇／早春物語／風の通り道（「となりのトトロ」から）／ドリーミー・チャイルド／グリーン・レクイエム／砂丘 I（「恋人たちの時刻」から）／空から降ってきた少女（「天空の城ラピュタ」から）／風の伝説（「風の谷のナウシカ」から）／以上全10曲

ピアノ・ストーリーズII　～The Wind of Life～

菊倍判／80頁／ISBN978-4-11-179016-6

時空を吹き抜ける極上のピアノストーリー。久石譲の名盤「ピアノ・ストーリーズII」の完全オリジナルタイアップ楽譜。
耳に残る美しい名旋律、懐かしさのよぎるハーモニー、心に滲みる世界観…。久石譲本人が監修した《オリジナル・エディション》。
〈曲目〉Friends（トヨタ「マジェスタ」CM曲）／Sunday／Asian Dream Song／Angel Springs（サントリー「山崎」CM曲）／Kids Return（映画「キッズ・リターン」テーマ曲）／Rain Garden／Highlander／White Night／Les Aventuriers／The Wind of Life／以上全10曲

FREEDOM　ピアノ・ストーリーズIV

菊倍判／72頁／ISBN978-4-11-179014-2

人気の名盤「FREEDOM」のオリジナル・ピアノ楽譜。サントリー緑茶"伊右衛門"CM曲「Oriental Wind」、Benesse・進研ゼミCM曲「Spring」、映画『ハウルの動く城』よりメインテーマ「人生のメリーゴーランド」など、全9曲のオリジナル・エディション。「Oriental Wind」の伊右衛門CMヴァージョン入り。
〈曲目〉人生のメリーゴーランド（映画『ハウルの動く城』メインテーマ）／Ikaros（Tohato「キャラメルコーン」CM曲）／ Spring（Benesse「進研ゼミ」CM曲）／Fragile Dream／Oriental Wind（サントリー緑茶"伊右衛門"CM曲）／Legend（MBS「美の京都遺産」テーマ曲）／Lost Sheep on the bed／ Constriction／Birthday／特別収録：Oriental Wind（サントリー緑茶"伊右衛門"CMヴァージョン）

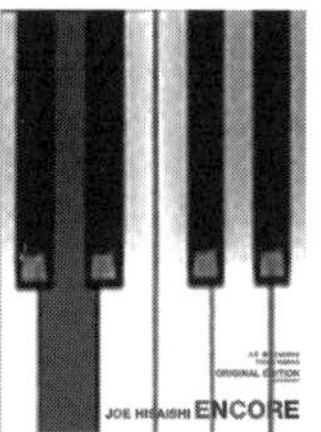

ENCORE

自筆譜入り／菊倍判／56頁／ISBN978-4-11-179011-1

ピアノ・ストーリーズ以来久々のピアノソロ作品「ENCORE」。本人がレコーディングで使用した楽譜をもとに作成し、本人が校正をした、オリジナル版。久石譲自筆の譜面も掲載。ファン必携。
〈曲目〉Summer（映画「菊次郎の夏」より）／Hatsukoi（映画「はつ恋」より）／One Summer's Day（映画「千と千尋の神隠し」より）／The Sixth Station（映画「千と千尋の神隠し」より）／Labyrinth of Eden（アルバム「地上の楽園」より）／Ballade（映画「Brother」より）／Silencio de Parc Güell（アルバム「I am」より）／HANA-BI（映画「HANA-BI」より）／Ashitaka and San（映画「もののけ姫」より）／la pioggia（映画「時雨の記」より）／Friends（アルバム「The wind of life」より）／以上全11曲

ETUDE ～a Wish to the Moon～

自筆譜入り／菊倍判／72頁／ISBN978-4-11-179012-8

久石譲流、ピアノエチュード。各曲には標題とともに〈アルペジョのエチュード〉〈6度のエチュード〉〈内声和音とオクターブのエチュード〉〈美しく和音を響かせるためのエチュード〉といった副題が付けられ、演奏するための指針が明確になっている。ショパンやドビュッシーのように、単に練習曲としてではなく演奏楽曲として完成された作品。全10曲は『かすかな月光の中に孤独な男がひとり、歩いている』という映像から発想されるコンセプトに統一されている。ピアノという楽器の持つ特性を100%生かして作られた"もうひとつの久石サウンド"。
〈曲目〉Silence（ダンロップ CM曲）／Bolero／Choral／MoonLight／MONOCHROMATIC／月に憑かれた男／impossible Dream／夢の星空／Dawn Flight／a Wish to the Moon（キリン一番搾り CM曲）／以上全10曲

Asian X.T.C.

菊倍判／96頁／ISBN978-4-11-179013-5

"美しく官能的でポップなASIA"をテーマにしたソロ・アルバム「Asian X.T.C」のオリジナルピアノ楽譜。
カネボウシャンプー"いち髪"CM曲の「Venuses」、話題の韓国映画『トンマッコルへようこそ』主題歌をfeaturingした「Welcome to Dongmakgol」、中国映画『叔母さんのポストモダン生活』主題歌など、全10曲を所収。
〈曲目〉Asian X.T.C.／Welcome to Dongmakgol（映画「トンマッコルへようこそ」主題歌）／Venuses（カネボウ・シャンプー「いち髪」CMソング）／The Post Modern Life（映画「叔母さんのポストモダン生活」主題歌）／A Chinese Tall Story（映画「A Chinese Tall Story」主題歌）／Zai-Jian／Asian Crisis（NHK「世界遺産コンサート」テーマソング）／Hurly-Burly／Monkey Forest／Dawn of Asia／以上全10曲

ピアノ・ストーリーズ・ベスト '88-'08

菊倍判／88頁／ISBN978-4-11-179015-9

お馴染みのメロディーがここに集結！ジブリ映画やTVテーマなど数々の名曲の中から久石自身がセレクトした久石メロディーのベスト盤。
〈曲目〉The Wind of Life／Ikaros（東ハト「キャラメルコーン」CMソング）／HANA-BI（映画「HANA-BI」より）／Fantagia（for Nausicaä）（映画「風の谷のナウシカ」より）／Oriental Wind（サントリー緑茶「伊右衛門」CMソング）／Innocent（映画「天空の城ラピュタ」より）／Angel Springs（サントリー「山崎」CMソング）／il porco rosso（映画「紅の豚」より）／The Wind Forest（映画「となりのトトロ」より）／Cinema Nostalgia（日本テレビ系「金曜ロードショー」オープニングテーマ）／Kids Return（映画「キッズ・リターン」より）／A Summer's Day／人生のメリーゴーランド（映画「ハウルの動く城」より）

弦楽四重奏曲集「カルテット」

菊倍判／スコア60頁+パート譜／ISBN978-4-11-301101-6

久石譲が監督に挑戦した映画「Quartet カルテット」の中で主人公たちが演奏する曲のオリジナル楽譜集。メインテーマ「Quartet g-moll」を含む弦楽四重奏作品5曲に加え、ヴァイオリン・ソロ作品1曲を収めた。映画撮影用絵コンテが書き込まれた久石譲の自筆譜も所載。ファン必携。

オーケストラストーリーズ となりのトトロ

菊倍判／112頁／ISBN978-4-11-899711-7

映画「となりのトトロ」のテーマによる8つの組曲。プロコフィエフの「ピーターと狼」のようなナレーション入り。オーケストラの楽器紹介も盛り込まれ、とても楽しい構成。〈曲目〉さんぽ／五月の村／ススワタリ〜お母さん／トトロがいた！／風のとおり道／まいご／ねこバス／となりのトトロ。演奏所要時間は約25分。パート譜はレンタル。